Déclaration

Conformément aux décrets du Pape Urbain VIII, les éditeurs de ces révélations déclarent se soumettre au jugement du Saint-Siège.

Dans les A.A.S. 58/16 du 29.12.1966 a été publié un décret de la Congrégation pour la Doctrine de la Foi, approuvé par S.S. le pape Paul VI le 14.10.1966, selon lequel les articles 1399 et 2318 du Droit Canon ont été abrogés. Il est dès lors permis de publier, sans imprimatur, des textes se rapportant à de nouvelles révélations, apparitions, prophéties ou miracles, sans engager la Sainte Église catholique romaine.

Marie, Reine de la Paix, demeure avec nous

Témoignages pour Medjugorje

P. Guy Girard
P. Armand Girard
P. Janko Bubalo

Éditions Paulines — O.E.I.L. — Maison St-Pascal

Description de la page couverture.

De nouvelles prémices sont offertes à Marie aux couleurs du ciel et aux saveurs de la Foi. La beauté exceptionnelle de la photo crée une atmosphère de silence et de contemplation. Sur le fond brun-terre s'élève la croix illuminée par les couleurs de l'Arc-en-ciel. Du corps de Jésus fixé à la croix, nous voyons les bras tendus, dans le geste de l'offrande. La souffrance infinie de Dieu échappe à nos regards humains et pourtant la lumière éclaire la croix et le Crucifié. La séquence du violet au bleu, du jaune au rouge, montre le cœur souffrant de Jésus et de sa Mère s'ouvrant déjà à la Résurrection. La vérité de la croix a ses racines sur le Golgotha. C'est par elle que Dieu dévoile son amour irrésistible et offre à l'humanité une authentique promesse de Vie. L'Arc-en-ciel avec la délicatesse de ses couleurs rappelle la présence discrète de Marie au pied de la croix dans sa mission de Mère. Elle est la « Porte du ciel ». Le brun-terre révèle la complexité de l'histoire de l'humanité déchirée entre l'angoisse et l'espérance.
La fusion très délicate entre la souffrance de la croix et la lumière de l'Arc-en-ciel, reflète la fidélité de Dieu le Père envers l'humanité, par l'immolation de son Fils.
Le Christ Sauveur demeure le centre entre le ciel et la terre alors que Marie, Reine de la Paix, livre son message de sacrifice, de prière et d'amour au secours du peuple qui tombe et qui cherche à se relever.

Composition et mise en page: *Les Éditions Paulines*

Maquette de la couverture: *Antoine Pépin*

ISBN 2-89039-147-7 (Éditions Paulines)
ISBN 2-86839-123-0 (O.E.I.L.)
ISBN 2-9801070-0-X (Maison St-Pascal)

Dépôt légal — 4e trimestre 1987
Bibliothèque nationale du Québec
Bibliothèque nationale du Canada

3965, boul. Henri-Bourassa est
Montréal, QC, H1H 1L1

O.E.I.L.
12, rue du Dragon
75006 Paris

Maison St-Pascal
3719, boul. Gouin est
Montréal, QC, H1H 5L8

Nous dédions ce livre

à Marie Reine de la Paix

à notre Mère spirituelle

à notre mère qui a tant prié Marie

à tous ceux et celles qui aiment Marie
et qu'Elle nomme «Mes chers enfants»

Introduction

En lisant séparément le témoignage sur Medjugorje des frères jumeaux, prêtres canadiens de la Société des Saints Apôtres (s.ss.a.) de Montréal, les paroles irrésistibles du psaume 19 résonnent dans mon esprit: «Non point récit, non point langage, nulle voix qu'on puisse entendre, mais pour toute la terre en ressortent les lignes et les mots jusqu'aux limites du monde» (Ps. 19, 1-4). À cette voix, les frères Girard n'ont pu résister, ils ont répondu à l'appel et l'ont suivi comme des millions d'autres avant eux.

Ainsi, interpellés par cette «invitation», les frères Armand et Guy Girard se sont rendus à Medjugorje même. C'était après leur retraite sacerdotale à Rome, qui avait réuni dans un même esprit six mille prêtres et une centaine d'évêques et d'archevêques du monde entier. Mais «une ville située sur une hauteur ne peut être cachée» (Mt 5, 15). Ainsi les frères Girard, dans leur ouverture à l'Esprit, ne pouvaient pas ne pas voir une autre basilique «non construite par des hommes», comme l'un d'eux l'a dit, et où se manifestent, d'une façon particulière, la bonté divine et la grâce de la joie. Oui, ils sont allés et se sont rendus à Medjugorje.

Dans ces pages vous découvrirez leur enthousiasme et leurs expériences. Vous y lirez aussi, qu'après avoir passé quelques jours sur cette «Terre bénie», comme ils l'ont nommée, ils s'apprêtaient à rentrer au Canada via l'Italie, mais ne pouvant pas résister, rendus à Split, ils vont retourner à Medjugorje pour se laisser pénétrer davantage de «ses rayons de soleil» pour pouvoir les transmettre aux autres. Ils étaient véritablement remplis de cette lumière et ils ne pouvaient pas ne pas la propager. De retour au Canada, ensemble ils ont écrit une brochure qui avait pour titre: «Medjugorje, Terre bénie». Leur témoignage était si spontané et chaleureux que ce petit livre, rapidement distribué et vendu, a atteint un tirage considérable. Ce n'est pas par hasard que nous vous présentons maintenant l'édition croate. Le livre est complété par une description ouverte et sincère de la figure d'une mystique de Montréal Georgette Faniel, la servante du Père Éternel, qui, depuis l'âge de six ans (elle en a maintenant 72), entend la voix de ses interlocuteurs célestes, avec qui elle converse. Georgette est une martyre incompréhensible qui offre au Père Éternel, toute sa vie de souffrance physique, morale, spirituelle et intime. Depuis quatre ans, selon le désir explicite du Père Éternel, elle offre aussi ses souffrances au Seigneur pour que l'*authenticité* des apparitions de Notre-Dame de Medjugorje soit reconnue.

Les frères Girard ont passé à nouveau une dizaine de jours à Medjugorje à la mi-octobre 1986. Ce séjour fut encore plus riche en expériences et leur apporta beaucoup de fruits. Ils ont été particulièrement heureux quand ils ont su que leur livre paraissait en croate. Ce sont de vrais apôtres de la Reine de la Paix car ils ont reconnu en Elle, la Mère, la Protectrice et la Médiatrice de l'humanité. Ils en sont devenus ses plus fervents prédicateurs. Ils sont précieux ces messagers de la Bonne Nouvelle qui annoncent la paix et le salut (Is 52, 7), tels les frères Girard de la Société des Saints Apôtres de Montréal au Canada.

Tout ceci est mis en évidence dans ce livre que nous présentons.

Janko Bubalo

Première partie

Medjugorje

Medjugorje est un tout petit village perdu dans les montagnes de la Yougoslavie. Il se trouve dans la région croate catholique d'Herzégovine. Ce petit village est maintenant connu dans le monde entier. Il est devenu pratiquement universel. Des personnes de toutes conditions s'y sont rendues et s'y rendent encore. Que s'est-il donc passé pour que le monde entier se soit tourné vers ce coin de terre?

Les apparitions

Ce qui s'est passé et ce qui se passe encore à Medjugorje au moment où ces lignes sont écrites (août 1987), ce sont les apparitions de la Vierge. Commencées le 24 juin 1981, les apparitions ont eu lieu tous les jours, sauf cinq, depuis cette date. La Vierge Marie apparaît à six jeunes: quatre filles, deux garçons. Voici leur prénom, leur date de naissance et leur âge actuel (1987):

Vicka, née le 3 septembre 1964, 23 ans
Mirjana, née le 18 mars 1965, 22 ans
Marija, née le 1er avril 1965, 22 ans
Ivan, né le 25 mai 1965, 22 ans
Ivanka, née le 21 juin 1966, 21 ans
Jakov, né le 6 mai 1971, 16 ans.

Or ce qui étonne et interroge bien des théologiens, c'est la durée et la fréquence des apparitions. Depuis 72 mois, la Vierge Marie apparaît. Elle est apparue au-delà de 2000 fois et les apparitions continuent encore. Il nous semble que si la Vierge apparaît si souvent et sur une si longue période, cela indique nettement l'importance de ses demandes, de ses messages et de ses secrets.

Les demandes de la Vierge

Un mot domine les demandes de la Vierge Marie; il se dit MIR en croate et PAIX en français. Il a été écrit en lettres de lumière au-dessus de la colline où se dresse la croix. Le père Jozo et des villageois en témoignent sans hésitation. La Vierge Marie parle de la paix, mais d'une paix radicale, d'une paix qui vient du cœur. Les racines de la paix sont: conversion et foi, prière quotidienne, jeûne et sacrement du pardon.

Conversion et foi

Cette conversion radicale demandée avec une insistance aussi forte, exige beaucoup. La Vierge Marie le sait et le demande pour notre salut. Cela signifie beaucoup plus que la simple croyance en un être supérieur; cela dépasse encore la pratique dominicale et la réception des sacrements. Cette conversion en profondeur est un retour à Jésus, Seigneur et Sauveur, qui dépasse la raison et se situe par la foi au niveau du cœur. C'est la rencontre quotidienne avec Jésus qui change toute une vie et qui s'approfondit au niveau d'une FOI de plus en plus alimentée fréquemment par la prière quotidienne et la Sainte Eucharistie.

Notre-Dame a parlé le 26 avril 1983: «N'attendez pas... Je ne demande que la conversion. Soyez prêts à tout et convertissez-vous. Abandonnez tout ce qui empêche la conversion.» La Vierge Marie interpelle chacun de nous. Elle interpelle ceux et celles qui s'organisent directement avec Dieu. Elle interpelle les chrétiens d'habitude qui ne font que le minimum. Elle interpelle les prêtres, les religieux, les religieuses et les laïcs.

Prière quotidienne

Marie se présente aux voyants comme celle qui prie et Elle insiste pour un retour à la prière. «Il y a beaucoup de croyants qui ne prient pas; la foi ne peut être vivante si on ne prie pas.» À Medjugorje, la vie est devenue prière. La Vierge prie avec les voyants. Les paroissiens et les pèlerins prient trois heures par jour et davantage. Ce temps de prière inclut la célébration de l'Eucharistie. Toute une communauté chrétienne nous interpelle. Elle vit de prières. La Vierge a demandé de réciter le Credo (Je crois en Dieu) pour redire au Père Éternel ce en quoi nous croyons. Elle a demandé de réciter sept fois de suite le «Notre Père», le «Je vous salue, Marie» et le «Gloire soit au Père». Elle insiste sur l'importance de dire le chapelet tous les jours et davantage le Rosaire (3 chapelets).

Parlant de la Sainte Messe, la Vierge Marie affirme: «La Messe est la plus grande prière de Dieu et vous ne pourrez jamais en comprendre la grandeur; c'est pourquoi vous devez être parfaits et humbles à la messe et vous y préparer.» Cette invitation de la très Sainte Vierge Marie doit nous conduire à la réflexion, à la méditation. Combien de chrétiens ont «balancé» la Sainte Messe! Combien ne gardent l'Eucharistie de Noël et de Pâques que par folklore! Combien n'y vont que lorsqu'ils en «sentent» le besoin comme si la foi était au niveau des sentiments. Elle dit et redit: «Je ne demande que la conversion. Soyez prêts à tout et CONVERTISSEZ-VOUS. *Abandonnez tout ce qui empêche la conversion.*»

La prière est le moyen de communiquer avec Dieu et d'accompagner la Vierge. Comme on ne peut se passer de l'air pour respirer et vivre, de même on ne peut se passer de la prière pour vivre de Dieu. Medjugorje est devenu de par sa réponse aux demandes de la Vierge, un lieu de prière comme il n'en existe pas au monde. Cette communauté chrétienne qui depuis plus de 72 mois prie de 3 à 4 heures par jour, lance un cri au monde moderne: «Répondez aux demandes de la Vierge Marie.» Ce cri, ils l'ont reçu du cœur de Marie. Ils ont mission de nous le faire entendre. De notre réponse dépend notre propre salut et le salut du monde.

Le jeûne

Le jeûne demandé par Marie est clairement indiqué; c'est le pain et l'eau. Le jeûne ne signifie rien en soi. Il n'a de sens qu'au service de la foi. Jeûner nous permet de mieux nous donner à Dieu et aux autres. Il ne se remplace pas. La Vierge dit aux voyants: «Les chrétiens ont oublié qu'ils peuvent arrêter les guerres et même les catastrophes naturelles par la prière et le jeûne.» La prière et l'aumône ne remplacent pas le jeûne. Jeûner c'est aussi réparer pour nos propres péchés et pour les péchés de l'humanité. Le jeûne comme la prière constante sont les moyens les plus sûrs de conversion. Jésus dit un jour aux apôtres qui l'interrogeaient sur le fait qu'ils n'avaient pas été capables de chasser le démon d'un possédé: «Ce genre de démon ne se chasse que par la prière et le jeûne.»

Le désir de Marie est que les croyants jeûnent le vendredi au pain et à l'eau sauf les malades. Je connais déjà des familles qui le font, des étudiants aussi. Tout déjà se transforme en eux et entre eux.

Le sacrement du pardon

Ce sacrement de la réconciliation est presque disparu de nos vies. La Vierge le décrit comme le remède pour l'Église occidentale. «Des domaines entiers de l'Église seraient guéris si les croyants se confessaient une fois par mois.» L'expérience pastorale nous prouve hors de tous doutes combien ce sacrement vient non seulement confirmer le pardon de Dieu mais guérir sur le plan psychologique et sur le plan physique. Combien de malades en psychiatrie seraient guéris s'ils avaient eu et s'ils avaient recours à ce sacrement. Cela ne met nullement en cause le médecin psychiatre. Ce qui est mis en cause, c'est la psychiatrie qui met complètement de côté la dimension surnaturelle de l'homme. Le pape Jean-Paul II, au parc Jarry (Montréal), nous redisait: «Le cœur humain ne s'habitue pas à l'absence de Dieu.»

Le sacrement du pardon nous conduit à la paix intérieure,

fruit de l'Esprit Saint qui devient paix avec nos frères et sœurs, paix avec notre peuple et paix mondiale.

Voilà brièvement les demandes principales de Marie. Le père Tomislav Vlasić disait aux deux cents prêtres réunis à Medjugorje le 13 octobre 1984: «Approfondissez votre FOI, priez constamment, jeûnez, recevez le sacrement du pardon, c'est cela que demande la Très Sainte Vierge Marie.» Priez et laissez Dieu agir. C'est plus facile pour nous de prier. L'action est du côté de Dieu, la prière est de notre côté. Seul Dieu peut agir.

Les messages

Il faut distinguer entre messages et secrets. Les messages sont donnés par la Vierge aux voyants; ils sont pour la paroisse de Medjugorje, pour l'Église du pays, pour le monde. Beaucoup de messages sont connus. Il y en aurait 155 actuellement. Une traduction des messages du croate au français a été faite[1].

Lors des dix jours passés à Medjugorje, des messages furent donnés. Citons le message donné aux deux cents prêtres, le 13 octobre 1984: «Mes très chers fils, aujourd'hui mon Fils Jésus m'a permis de vous rassembler ici pour vous donner ce message à vous et pour tous ceux qui m'aiment. Mes très chers fils, priez constamment. Demandez à l'Esprit Saint qu'Il vous inspire toujours. Dans tout ce que vous demandez et dans tout ce que vous faites, ne désirez qu'une chose, celle d'accomplir uniquement la sainte Volonté de Dieu. Mes très chers fils, merci d'avoir répondu à mon appel de venir ici.» Un autre message fut donné à Marija: «Dites aux gens de lire la Bible tous les jours, spécialement le Nouveau Testament. Qu'ils la placent à un endroit où ils peuvent la voir à tout moment.» Ce message fut donné le 18 octobre 1984. Il y aurait beaucoup à dire au sujet des messages, mais nous voulons uniquement éveiller l'attention du lecteur. Les messages furent donnés à chaque semaine à partir du 1er mars 1984 jusqu'au 8 janvier 1987. La Vierge Marie donne maintenant un message le 25 de chaque mois.

---

1. Messages par ordre chronologique: «Marie Reine de la Paix, espoir du monde», Éditions Paulines et Médiaspaul, Pères Guy et Armand Girard, s.ss.a.

Un message en date du 28 janvier 1987 fut donné à Mirjana à Sarajevo. Il est exceptionnel en ce sens que la Vierge Marie y parle pour la première fois des SECRETS. Elle revient ensuite sur les grandes demandes: paix, conversion, chapelet, sacrement du pardon, jeûne. Elle nous prévient de l'influence de Satan.

Apparition extraordinaire de Marie Reine de la Paix à Mirjana le 28 janvier 1987

«Mes chers enfants,

Je suis venue vers vous pour vous amener à la pureté de l'âme et par là à Dieu. Comment m'avez-vous accueillie? Au commencement avec incrédulité, crainte et méfiance envers les enfants que j'avais choisis. Ensuite, la plupart m'ont reçue dans leur cœur et ont commencé à réaliser mes demandes maternelles. Mais malheureusement, cela n'a pas duré longtemps. Quel que soit le lieu où Je me manifeste, et avec moi mon Fils, Satan survient lui aussi. Vous avez permis, sans vous en apercevoir, qu'il vous gouverne et vous dirige. Vous réalisez parfois que votre comportement n'est pas permis par Dieu, mais vous le refoulez vite. Ne vous rendez pas mes enfants. Essuyez sur mon visage les larmes que Je verse en vous voyant faire. Regardez ce qui se passe autour de vous!

Prenez le temps de vous approcher de Dieu à l'église. Venez à la maison de votre Père.

Prenez le temps de vous réunir en famille pour obtenir en priant la grâce de Dieu.

Souvenez-vous de vos défunts. Réjouissez-les par la Messe.

Ne regardez pas avec mépris le pauvre qui vous prie pour un croûton de pain. Ne le rejetez pas de l'abondance de votre table. Aidez-le et Dieu vous aidera aussi. Peut-être que la bénédiction[2] qu'il vous laisse en guise de remerciement s'accomplira pour vous. Peut-être Dieu l'écoutera-t-il. Vous avez oublié tout cela, mes enfants. Satan vous a influencés en cela. Ne vous rendez pas! Priez avec moi! Ne vous abusez pas en pensant: «Je suis bon mais mon

2. En Croatie, le pauvre qui reçoit, au lieu de dire «Merci» dira «Que Dieu te bénisse».

frère qui vit auprès de moi ne l'est pas. » Vous n'auriez pas raison. Je vous aime parce que Je suis votre Mère et c'est pourquoi Je vous préviens.

Il y a des secrets mes enfants! Et vous ne savez pas ce que c'est; mais quand on l'apprendra, il sera tard! Retournez à la prière! Rien n'est plus nécessaire qu'elle! J'aurais voulu que le Seigneur me permette de vous éclairer au moins un peu sur les secrets, mais Il vous offre déjà bien assez de grâces. Réfléchissez! Combien Lui en offrez-vous vous-même? Quand avez-vous renoncé la dernière fois à quelque chose pour le Seigneur?

Je ne veux pas vous réprimander davantage, mais Je veux encore une fois vous appeler à la prière, au jeûne et à la pénitence. Si vous désirez obtenir la grâce de Dieu par le jeûne, alors que personne ne sache que vous jeûnez. Si vous désirez obtenir la grâce de Dieu par un don aux pauvres, que personne ne le sache à part vous et le Seigneur. Écoutez-moi, mes enfants!

Méditez dans la prière ce message que je vous donne. »

N.B. L'apparition a duré dix minutes environ.

Les secrets

Les secrets ne sont donnés qu'aux voyants. Ils ne peuvent pas être transmis sans l'autorisation de la Vierge. Tous les voyants savent la date où ces secrets seront dévoilés. Les secrets sont au nombre de dix. La Vierge Marie les a donnés progressivement. Nous savons actuellement (août 1987) combien de secrets connaissent les voyants. MIRJANA et IVANKA en connaissent dix; VICKA, MARIJA, IVAN et JAKOV en connaissent neuf.

Ces secrets concernent des catastrophes imminentes et les moyens de les atténuer. Nous savons que l'un des secrets se rapporte à un grand signe que la Très Sainte Vierge laissera à l'endroit de sa première apparition. *Ce signe sera visible et permanent. Même les incroyants ne pourront le nier.* Cependant on ne sait pas ce qu'il sera, ni quand il se produira. Mirjana dit que le signe s'*imposera*. Elle ajoute: « La plupart des secrets sont tristes, mais il ne faut pas avoir peur. Le Seigneur me l'a fait comprendre. Marie est avec nous. Si nous l'acceptons comme Mère, Dieu comme Père et Jésus comme Frère, cette famille ne nous manquera pas.»

La Très Sainte Vierge a dit à ce sujet: «*Hâtez-vous de vous convertir. N'attendez pas le signe qui a été annoncé. Pour les incroyants, il sera trop tard pour se convertir.*» Elle invite les gens avec une insistance particulière à la prière quotidienne (la Célébration Eucharistique autant que possible), à la pénitence, au jeûne, à la conversion (sacrement du pardon), à la foi profonde. Ce sont, dit-Elle, des moyens pour se préparer aux événements prophétisés. La Sainte Vierge a dit à Mirjana: «Tu pourras révéler chaque secret trois jours avant sa réalisation à un prêtre de ton choix.» Le Père *Petar Ljubicić* a été choisi par Mirjana pour dévoiler les secrets. Il jeûnera dix jours au pain et à l'eau. Le septième jour il dévoilera le secret que lui fera connaître Mirjana et, trois jours après le dévoilement, l'événement se produira.

Mirjana dit que la Vierge Marie lui a remis un simple feuillet sur lequel sont écrits les dix secrets. On ne peut décrire la matière de ce feuillet. «On ne voit pas l'écriture», dit Mirjana. «Au moment opportun, je remettrai le feuillet au prêtre choisi. Il recevra la grâce pour lire seulement le premier secret, plus tard les autres.»

Le prêtre fera ce qu'il veut de cette information quant à la modalité de le faire connaître. Par exemple, il pourra confier à quelqu'un l'écrit de l'événement à venir, écrit qui ne serait rendu public qu'après l'événement. Il peut aussi prévenir les gens en disant par les médias: «Voici ce qui va arriver...» Les secrets seront révélés peu à peu; ainsi les gens se rendront compte que la Vierge apparaissait vraiment.

Dans une lettre envoyée au Saint-Père, Mirjana dit: «Avant le signe visible qui sera donné à l'humanité, il y aura trois avertissements au monde. Les avertissements seront des événements sur la terre. Mirjana en sera témoin. Trois jours avant une des admonitions, elle avisera un prêtre librement choisi. Le témoignage de Mirjana sera une confirmation des apparitions et une incitation à la conversion du monde.»

Après les admonitions, viendra le signe visible sur le lieu des apparitions à Medjugorje pour toute l'humanité. Le signe sera donné comme témoignage des apparitions et un rappel à la foi.

Les 9e et 10e secrets sont graves. Ils sont un châtiment pour les péchés du monde. La punition est inévitable parce qu'il ne faut pas s'attendre à la conversion du monde entier. Le châtiment peut être diminué par les prières et la pénitence; il ne peut être supprimé. Un mal qui menaçait le monde, selon le 7e secret, est atténué en raison de la prière et des jeûnes, dit Mirjana. Pour cela la Sainte Vierge continue d'inviter à la prière et au jeûne.

Après la première admonition, les autres suivront dans un temps assez bref. Ainsi les hommes auront du temps pour la conversion. Ce temps est la période de grâce et de conversion. «*Après le signe visible, ceux qui resteront en vie auront peu de temps pour la conversion.*»

En réponse à une question du Père Tomislav demandant si le dernier secret peut être évité, Mirjana répond que les gens doivent se préparer spirituellement, se tenir prêts, ne pas paniquer, se réconcilier intérieurement. «Ils devraient être prêts à tout, même à mourir demain.» Avec la foi profonde et sachant qu'ils sont réconciliés avec Dieu, ils ne doivent pas craindre car Dieu est avec eux. Cela veut dire: conversion complète et un total abandon à Dieu. À la question posée en 1986 «Pourquoi les secrets tardent-ils à être dévoilés?», elle répond que c'est un «*délai de miséricorde*» de la part de Dieu.

Les signes

Des signes visibles ont été constatés par des paroissiens de Medjugorje et des pèlerins. Nous en signalons quatre qui furent confirmés.

La danse du soleil se produisit plus d'une fois comme à Fatima. Le soleil commença à tourner autour de son axe. Il se rapprochait des pèlerins et revenait en arrière. Le 2 août 1981, en la fête de Notre-Dame-des-Anges, près de cent cinquante personnes ont vu ce signe.

Sur la montagne de Krizevac (ou montagne de la croix) apparaît souvent une lumière en forme de colonne. D'autres ont vu une lumineuse figure féminine au-dessus de la colline. Des témoins affirment avoir vu ces phénomènes à plusieurs reprises et à différents moments du jour. De même, on parle aussi de ce feu qui a surgi à la fin d'octobre 1981 sur la colline des apparitions. Beaucoup de pèlerins l'observèrent. L'agent de police qui empêchait les pèlerins de se rendre à la colline alla vérifier et ne trouva aucune trace de feu, ni de cendre. Ce jour-là, la Vierge dit aux voyants: «C'est un des signes avant-coureurs du grand signe. Tous ces signes sont donnés pour renforcer votre foi jusqu'à ce que j'envoie un signe permanent.»

Rappelons aussi que le mot PAIX, qui se dit MIR en croate, a été vu inscrit dans le ciel. Selon les voyants, la Vierge a promis qu'il y aurait encore beaucoup de signes avant-coureurs à Medjugorje et dans d'autres parties du globe avant le grand signe.

Situation des voyants

Il m'apparaît nécessaire de donner une information sur chacun des voyants à cette date (août 1987). Souvent des rumeurs circulent disant que les apparitions sont terminées, que la Vierge Marie ne donne plus de message, qu'Elle n'apparaît maintenant qu'une fois par mois, etc.

Visitons ensemble les voyants.

Mirjana

Elle étudie à l'Université de Sarajevo et elle a eu 22 ans le 18 mars 1987. La Vierge Marie lui est apparue quotidiennement jusqu'au 25 décembre 1982. Ce jour-là, elle a connu le dixième secret et la Très Sainte Vierge lui a dit qu'Elle lui apparaîtrait chaque année à son anniversaire de naissance, mais nous savons que les apparitions ont recommencé pour elle de façon occasionnelle pour préparer la fin des apparitions.

Ivanka

Elle a connu le dixième secret le 7 mai 1985. Elle ne voit donc plus la Vierge, sauf au jour anniversaire des apparitions le 25 juin de chaque année. Elle a eu 21 ans, le 21 juin 1987. Elle s'est mariée le 28 décembre 1986 à un jeune villageois de Medjugorje. La Vierge Marie lui a parlé du PASSÉ et de l'AVENIR de l'ÉGLISE. Le 25 juin 1987, la Vierge Marie lui est apparue à la maison. L'extase a duré dix minutes. Le Père Laurentin était présent, ainsi que madame Daria Klanac.

Vicka

Elle a appris le neuvième secret, le 22 avril 1986. La veille, le 21 avril, la Vierge Marie terminait le récit de sa vie. Elle l'a racontée sur 825 jours (trois manuscrits). Cette vie n'a pas été dictée. C'est important de comprendre cela. Le prêtre qui publiera cette « Vie de la Vierge » a été choisi, mais cela demeure inconnu pour le moment. Le 23 avril 1986, la Vierge Marie terminait de lui parler de l'AVENIR DU MONDE.

La Vierge Marie a cessé de lui apparaître à trois reprises, soit du 6 janvier 1986 au 25 février 1986, du 25 avril au 4 juin 1986, du 25 août au 20 octobre 1986. Cette troisième pause est la dernière, lui a dit Marie. Les Pères Guy et Armand Girard, s.ss.a., furent témoins de l'apparition du 20 octobre 1986. C'était à la maison de Vicka. L'extase dura 10 minutes. Madame Daria Klanac y était également.

Vicka souffre beaucoup physiquement. Elle dit: « Quand cette rouille attaque, il ne faut pas se laisser ronger. Avec l'amour, on peut toujours garder le sourire. » Actuellement, la plupart des apparitions de la Vierge Marie à Vicka ont lieu à la maison. L'apparition est quotidienne et prolongée.

Marija

Elle connaît neuf secrets. Elle est coiffeuse de profession, mais demeure avec ses parents pour travailler au tabac et à la vigne. Elle prend soin des enfants de son frère. La Vierge Marie lui apparaît quotidiennement. C'est elle qui recevait les messages du jeudi et qui reçoit maintenant le message donné une fois par mois le 25. (Ces messages s'adressent à la paroisse, à l'Église et au monde.)

Son intimité avec Marie s'accroît de plus en plus. Quand les apparitions quotidiennes cesseront, elle entrera au couvent. Milka, sœur de Marija, a vu la Vierge Marie une seule fois, le 24 juin 1981. À la question posée par un prêtre concernant le temps écoulé depuis l'apparition, elle répondait: «Mais cinq ans pour moi, c'est comme hier.»

Ivan

Il a eu 22 ans, le 25 mai 1987. Neuf secrets sont connus de lui. Il a terminé son service militaire en juin 1987. Sur la base militaire, il avait des locutions intérieures (il entendait la voix de la Vierge Marie au niveau du cœur). En dehors de la base militaire, la Vierge lui apparaissait. Maintenant qu'il est à Medjugorje, la Vierge Marie lui apparaît quotidiennement comme aux autres voyants (Marija, Vicka, Jakov).

Jakov

Jakov a eu 16 ans le 6 mai 1987. C'est le plus jeune des voyants. Son père et sa mère sont décédés durant la période des apparitions. La Vierge Marie a terminé de lui parler de l'AVENIR DU MONDE. Il étudie pour être «serrurier»; son projet de devenir prêtre n'est pas totalement mis de côté. Compte tenu de son âge, il a besoin de mûrir un tel choix. Il est maintenant un adolescent autonome et très brillant. La Vierge Marie lui apparaît quotidiennement.

Commissions d'études théologiques

Une nouvelle commission a été instituée au niveau de la Conférence Épiscopale Yougoslave pour étudier les apparitions de la Vierge à Medjugorje. Elle comprend 12 membres. Cette décision a été prise en concertation avec la Congrégation pour la Doctrine de la Foi dont le président est le Cardinal Ratzinger. On se souvient que la première commission fut dissoute le 2 mai 1986, à la demande de cette même Congrégation.

Les Commissions médicales

Une commission médicale française dirigée par le Docteur Henri Joyeux et composée de plusieurs spécialistes a produit un rapport scientifique étoffé très positif. Une autre commission médicale italienne dirigée par le Docteur Marco Margnelli composée de douze médecins italiens divisés en trois équipes de quatre a également remis un rapport scientifique très positif. Le Docteur Margnelli (agnostique) avait étudié l'extase en milieu psychiatrique. À la suite de ses expertises à Medjugorje, il s'interroge sur sa foi, car pour lui les extases sont authentiques.

Ces deux équipes se sont rencontrées à Milan chez le Docteur FARINA, président de l'ARPA. Il y avait aussi des théologiens. Il en résulta des conclusions communes et positives. Ces conclusions et le dossier des médecins italiens ont été remis au Saint-Père Jean-Paul II. Il en a accusé réception et les a remis à la Congrégation pour la Doctrine de la Foi.

Questions aux voyants

Maintenant en procédant par questions et réponses, nous voulons vous donner ce qui a été dit aux voyants.

1. *Que dit la Sainte Vierge au sujet de l'au-delà?*

Parmi les voyants, quatre ont vu l'enfer et la Vierge leur a dit: «C'est la punition de ceux qui ne veulent pas croire en Dieu. Plusieurs y vont; c'est le châtiment des infidèles.» Plusieurs personnes croient que le démon n'existe pas et l'on parle plutôt des forces du mal comme ésotériques. Mais le démon est un être qui veut notre perte et combat contre Dieu. Tous les voyants ont vu le ciel. «Aujourd'hui, dit la Sainte Vierge, une infime minorité va directement au ciel. La grande majorité va au purgatoire parce que les hommes meurent sans s'être préparés; ils ne sont pas prêts à accepter Dieu et sa grâce.»

2. *Comment Dieu si miséridordieux peut-il manquer de pitié au point de jeter les gens en enfer pour l'éternité?*

Les gens qui vont en enfer n'aiment pas Dieu. Ils le haïssent et le blasphèment même plus qu'avant. Ils deviennent une partie de l'enfer et ils ne pensent pas à leur délivrance.

3. *Vous a-t-Elle montré le purgatoire?*

Oui, Elle m'a dit: «Au purgatoire, il y a plusieurs niveaux. Il y a le niveau le plus bas: ceux qui sont les plus proches de l'enfer et ensuite il y a des niveaux progressifs qui se rapprochent du ciel. Ces âmes attendent vos jeûnes, vos prières.»

4. *Aujourd'hui est-ce que plusieurs personnes vont en enfer?*

La plupart vont au purgatoire. Peu vont directement au ciel. La Vierge dit aux quatre voyants qui virent l'enfer: «Voici la punition de ceux qui n'aiment pas Dieu. Un grand nombre y vont.»

5. *Doit-on agir selon ce que l'on perçoit des prêtres?*

Beaucoup de gens aujourd'hui regardent la foi des prêtres. Si les prêtres ne sont pas bons, alors cela signifie que Dieu n'existe pas. La Vierge Marie dit: «Vous n'allez pas à l'église pour voir les prêtres et regarder leur vie privée. Vous allez à l'église pour prier et écouter la parole de Dieu donnée par le prêtre.»

6. *Comment agit le démon aujourd'hui?*

Le démon s'infiltre au niveau des couples. Il ne les possède pas, mais son influence est telle qu'il y a de nombreux divorces. La Vierge dit qu'il n'y a qu'un moyen de l'éloigner et *c'est la prière en famille.* Il faut avoir au moins un objet sacré dans la maison (ex.: un crucifix) et il faut faire bénir notre demeure régulièrement.

Il s'infiltre aussi dans les monastères. Il cherche à conduire les grands croyants à l'incroyance. L'importance de la prière disparaît, le renoncement, la charité... on ne vit que d'une façon humaine oubliant la dimension spirituelle et surnaturelle: prière, jeûne, pénitence.

7. *Quelle insistance la Vierge Marie met-elle sur la foi et l'expression de sa foi?*

La Vierge disait à Mirjana que chacun doit se convertir pendant qu'il est encore temps, de ne jamais laisser Dieu et la foi. «Laissez tout mais pas cela.» Combien de chrétiens se limitent à prier occasionnellement un Dieu éloigné! Ils ont tout laissé: l'Eucharistie, la communion, le sacrement du pardon, la prière, le jeûne. Ils ne vivent plus de Dieu, du Christ et de l'Église. Savent-ils qu'ils vont à leur perte? Savent-ils qu'on ne se moque pas de Dieu et que l'Église a été voulue par le Christ? La Vierge vient peut-être pour la dernière fois nous indiquer le chemin du salut.

8. *Que dit la Vierge en ce qui concerne les différentes religions?*

Un jour, Elle dit aux voyants: «En Dieu, il n'y a pas de division, ni de religion; c'est vous dans le monde qui avez créé les divisions. Le seul médiateur, c'est Jésus Christ.» «Cependant, le fait que vous apparteniez à telle ou telle religion n'est pas sans importance.» «L'Esprit n'est pas le même dans chaque religion.»

9. *Doit-on prier Jésus ou Marie?*

À la requête d'un prêtre, les voyants demandèrent s'il fallait prier Jésus ou Marie. Elle répondit: «Priez Jésus. Je suis sa Mère et j'intercède pour vous avec Lui. Mais toute prière va à Jésus. J'apporterai mon aide, je prierai, cependant tout ne dépend pas de moi, mais aussi de votre force, de la force de ceux qui prient. Mais pour vos requêtes, venez à moi, je connais la volonté de Dieu mieux que vous.»

10. *La messe (célébration eucharistique) est-elle importante?*

«La messe est la plus grande prière. Vous devez assister à la messe dans l'humilité la plus parfaite et vous y préparer.» À Medjugorje, les trois à quatre heures de prière par jour incluent toujours la sainte messe.

11. *Y a-t-il un lien entre Fatima et les apparitions à Medjugorje?*

La ressemblance est frappante. À Fatima, le message est un appel urgent au repentir, à la prière et à la pénitence. Tout cela afin d'éviter la guerre et d'avoir la paix sur la terre. Marie dit alors que sans la conversion et le repentir d'un nombre suffisant de gens, une guerre plus terrible encore ferait suite à la guerre de ce temps. Une autre guerre encore pire commença sous le pape Pie XI. On sait que la Russie répandra ses erreurs dans le monde en provoquant des guerres et des persécutions dans l'Église. Le pape Jean-Paul II a dit de Fatima: «Le message en est un de repentir, d'invitation à la prière et au chapelet. C'est un avertissement.»

À Medjugorje, la très Sainte Vierge invite à la conversion, à la prière, au jeûne, à la récitation du chapelet, au sacrement du pardon et l'avertissement est clair.

12. *Que répondre à l'argument souvent mentionné concernant la durée et la fréquence des apparitions?*

Les voyants sont formés et instruits individuellement par la Vierge Marie. Comme une pédagogue, Elle prend le temps. D'autre part, il ne faut pas oublier qu'ils ont été appelés à vivre et à transmettre un message; la Vierge les prépare à cela. Il y a aussi, comme le mentionne le père Faracy, s.j., un aspect oecuménique. Il y a, entourant les villages qui composent la paroisse de Medjugorje, des régions musulmanes, orthodoxes et catholiques. Or, la Vierge vient pour le monde entier.

13. *Peut-on penser que la Vierge parle de catastrophe?*

Oui, car une partie du message comprend dix secrets concernant des catastrophes imminentes et les moyens de les atténuer. Pour les atténuer, il faut la conversion totale par la foi, la prière quotidienne, la confession mensuelle, le jeûne, le chapelet (le rosaire).

14. *Que doit-on comprendre de la vision prophétique du Pape Léon XIII?*

Selon ce que l'on peut savoir, le pape Léon XIII eut le 13 octobre 1884 une extase qui dura dix minutes. Son visage était blanc de lumière. Il aurait entendu deux voix: l'une douce, l'autre dure. C'était la voix de Dieu et celle de Satan. Satan demanda à Dieu de lui laisser son Église pendant cent ans et il la détruirait. Dieu accepta. Le pape Léon XIII avait alors composé une prière à saint Michel Archange afin que cette prière fût récitée à la fin de la messe.

Or ce siècle se terminait le 13 octobre 1984. Il y avait à Medjugorje ce jour-là 200 prêtres qui furent témoins de l'apparition de la Vierge aux voyants.

15. *Qui peut dire que les apparitions sont authentiques?*

C'est l'Église qui aura un jour à authentifier les apparitions dans ce petit village de Medjugorje en Yougoslavie. Cependant on peut déduire qu'elles sont authentiques en regardant les fruits. Ces jeunes gens sont trop simples et vrais pour être des acteurs. La doctrine est solide et les dépasse. Le diable ne voudrait jamais notre conversion par la foi, la prière, le chapelet, le jeûne et le sacrement du pardon. Les fruits des apparitions dans la vie de la paroisse et des pèlerins sont si positifs qu'ils sont une forte preuve que cela vient vraiment de Marie. *C'est cependant aux autorités ecclésiastiques qu'il revient de porter un jugement définitif.*

Conclusion

Nous avons voulu préparer un texte assez court afin de faire connaître aux gens ce qui se passe à Medjugorje. Ces apparitions de la Vierge interpellent et invitent le monde entier à la conversion.

Vous qui avez lu ce texte, informez tous vos proches et faites connaître ce que la Vierge demande. Allez plus loin dans la recherche de ce qui se vit à Medjugorje en lisant des volumes plus détaillés. La Vierge apparaît là pour nous transmettre un message de paix et de salut. Pendant les dix jours passés à Medjugorje, j'ai assisté à sept apparitions, j'ai prié avec ces jeunes tous les soirs. Le parfum de rose indéfinissable qui se dégageait d'eux après l'apparition était pour moi le signe que j'avais demandé à notre Mère du Ciel. Oui, Marie, femme bénie entre toutes les femmes, prie pour nous maintenant et à l'heure de notre mort.

Deuxième partie

Interview

17 octobre 1984

P. Tomislav Vlasić, o.f.m. (T.V.)
Directeur spirituel des Voyants

et

P. Massimo Rastelli, s.j. (M.R.)
P. Guy Girard, s.ss.a. (G.G.)

M.R. — *Père Vlasić, nous connaissons comment les apparitions ont commencé. Nous sommes maintenant en octobre 1984. Pouvez-vous nous dire quelque chose sur les derniers messages?*

T.V. — Il y a des nouveautés sur deux plans: d'abord sur ce que la Madone fait, et sur ce que la Madone dit.

Sur ce qu'elle fait: Je peux dire qu'elle attire de plus en plus de gens; l'église est toujours remplie même en automne où, d'habitude, les gens se déplacent moins. Les gens viennent de toutes les parties de l'Europe, des États-Unis et du Canada. Dans ces derniers temps, il y a eu la présence de beaucoup de prêtres. Samedi (13 octobre 1984), deux cents prêtres et cent cinquante-deux ont concélébré. Ils viennent en pèlerinage sacerdotal ou avec des pèlerins. On perçoit que la Madone attire de plus en plus, et celui qui est venu une fois a le goût de revenir.

Sur ce qu'elle dit: La Madone continue à interpeller à la prière, au jeûne et à la conversion. L'intervention de la Sainte Vierge pour attirer les gens est une chose sympathique pour moi, simple et très profonde. Voilà le dernier message donné aux paroissiens (vous savez qu'il a plu pendant trois semaines, les vignes sont presque détruites):

> «*Pendant l'épreuve, continuez à offrir votre fatigue et tout ce que vous avez à Dieu, et ne vous inquiétez pas; vous devez savoir que Dieu vous envoie des épreuves parce qu'il vous aime.*»

Dans ce message, nous voyons la Madone qui s'occupe de petites choses, même matérielles, et ce message nous dit que Dieu est présent partout et qu'Il s'occupe de tout. Les derniers messages nous font voir qu'Il suit les gens en toutes circonstances.

M.R. — *Les gens de l'endroit, comment acceptent-ils ces messages?*

T.V. — Ils acceptent ces messages, mais il faut dire à tout le monde et à tous les pèlerins d'essayer de comprendre les apparitions de Medjugorje. Il y a une caractéristique qui fait que ces apparitions sont différentes des autres, de Lourdes et de Fatima: celles-ci ont été de courte durée: quelques semaines ou quelques mois. Celles de Medjugorje ont commencé le 24 juin 1981, et durent encore aujourd'hui. On se pose la question: pourquoi sont-elles si longues et si fréquentes? Les voyants répondent que la Madone a dit qu'il s'agit de ses dernières apparitions dans le monde, mais ils ne veulent pas expliquer le sens du mot «*dernier*» parce qu'ils disent qu'en l'expliquant, ils seraient obligés de révéler le secret. Au-delà de ces choses, il faut voir que la Madone guide le peuple de Medjugorje. En effet, Elle donne des messages sur *chaque pas de son cheminement.* Alors, si l'on veut comprendre les messages, il faut regarder le contexte; par exemple, pendant une crise que je ne veux pas décrire, j'ai posé la question à la Vierge par l'intermédiaire d'une voyante: «Qu'est-ce que je dois faire maintenant?» Elle a répondu avec une paix profonde:

«Priez, jeûnez et laissez faire le Bon Dieu! Vous ne pouvez pas imaginer comment Dieu est puissant!»

Comme vous voyez, pour une question donnée arrive une réponse très simple, laquelle resplendit dans nos cœurs. Ainsi, tout au long du «cheminement» de ces gens, des pèlerins et de tous ceux qui suivent ces messages, viennent ces réponses pour la croissance spirituelle. C'est pour cela qu'il faut envisager cet aspect en regard de l'avenir. Ceux qui veulent vivre ces messages de Medjugorje doivent avancer dans la vie spirituelle. La Sainte Vierge veut que le monde avance pour approfondir et vivre sa foi. Il ne faut pas voir les messages comme une fin, mais en découvrir la profondeur; ainsi peut-on en arriver à l'acceptation.

Ceux qui veulent comprendre les messages doivent aller jusqu'au bout pour en arriver à l'union avec Dieu. Je vois en ce moment tous les responsables du monde qui doivent se mettre du côté de ceux chez qui il y a eu un rejaillissement de la foi par ces événements. Eux aussi doivent approfondir ces messages, les vivre pour faire cheminer et conduire le peuple. La Madone a parlé aux prêtres par un message qui disait:

«Mes très chers fils, aujourd'hui mon fils Jésus m'a permis de vous rassembler ici pour vous donner ce message à vous et pour tous ceux qui m'aiment. Mes très chers fils, priez constamment! Demandez à l'Esprit Saint qu'il vous inspire toujours. Dans tout ce que vous demandez, et dans tout ce que vous faites, ne désirez qu'une chose, celle d'accomplir uniquement la sainte volonté de Dieu. Mes très chers fils, merci d'avoir répondu à mon appel de venir ici!»

Sur le plan national, ce message n'a pas de signification, mais pour ceux qui ouvrent leur cœur, il peut aller toujours plus en profondeur dans la foi et faire avancer. Il s'agit d'un appel qui nous invite à approfondir chaque jour notre foi.

Un autre aspect du message à ceux qui regardent de loin et

attendent que l'autorité de l'Église se prononce à ce propos, la Madone dit:

«Il faut suivre l'autorité de l'Église, bien sûr, mais avant qu'elle se prononce, il faut avancer spirituellement, car elle ne pourra pas se prononcer dans le vide, mais dans une confirmation qui suppose une croissance de l'enfant. Premièrement doit avoir lieu la naissance, puis le baptême, après, la confirmation. L'Église viendra confirmer ce qui est né de Dieu. Nous devons marcher et avancer dans la vie spirituelle, secoués par ces messages.»

G.G. — *Je remarque que la Sainte Vierge porte à la lumière ce qu'en général on tient pour acquis. Il s'agit de choses très simples, mais dans la pratique tout devient plus difficile, n'est-ce pas?*

T.V. — Bien sûr, mais si nous regardons l'Histoire de l'Église et l'Histoire du Salut, le problème est que nous ne sommes pas allés en profondeur, non parce que nous n'avions pas les moyens, ou encore parce que dans cette période de l'Histoire de l'Église nous avons eu des moyens extraordinaires, *mais simplement parce qu'il y a eu des personnes et des communautés qui ne sont pas allées en profondeur.* À cet égard, je pense à une expérience d'il y a quelques semaines: je suis allé dans une chapelle de religieuses; elles m'ont montré un nouveau crucifix; elles m'ont demandé ce que j'en pensais. J'ai répondu qu'il s'agissait d'une projection. En effet, j'ai vu le Christ qui n'était pas debout, ni suspendu; je ne l'ai vu ni pleurer, ni souffrir; je l'ai vu comme quelque chose de superficiel, non comme *quelqu'un qui était transpercé, souffrant,* mais comme un homme moderne, qui ne pleure pas, qui manque de profondeur. Si nous voulons que ces messages amènent le salut comme l'Évangile, il faut endurer, pleurer, souffrir en profondeur.

M.R. — *Une autre impression que j'ai, c'est que la Madone demande toujours davantage. Elle engage de plus en plus dans ce que vous appelez cheminement, mais nous trouvons que les personnes ont une façon particulière de répondre, et, surtout, elles ressentent la puissance de Dieu. Plus elles mettent leurs capacités en œuvre, plus elles reçoivent. Nous avons, par exemple,* *l'impression qu'il est difficile de jeûner, mais si on le fait cela devient savoureux, facile, etc.*

T.V. — J'ai deux remarques à faire: lorsque la Madone nous donne des obligations nouvelles, c'est pour nous pousser en profondeur. Il faut remarquer une autre chose: le 5 août 1984, j'ai appelé les gens pour réciter une partie du chapelet pour le bon résultat du congrès eucharistique international. J'ai posé la question aux gens; ils étaient prêts à réciter tous les jours une partie du Rosaire. Ils ont répondu: «OUI», mais, une fois sortis, ils se sont repentis, pris de panique, par peur de ne pas avoir le temps de le faire. Un mois après, un monsieur a dit: «Maintenant, je peux dire cinq chapelets par jour.» Lorsque la personne s'engage, elle découvre qu'elle a toujours plus de temps; lorsqu'une personne aime, elle peut aimer toujours davantage. Au fur et à mesure qu'on s'intéresse à Dieu, les capacités augmentent, comme l'Évangile nous dit: «Celui qui possède, il lui sera donné plus encore.»

G.G. — *J'ai remarqué aussi que ceux qui disent: «On dit que la Madone apparaît» ne produisent rien. Ceux qui disent: «Marie est à Medjugorje», expérimentent une puissance nouvelle. Le message principal est que Marie est ici, Elle est partout, mais Elle se manifeste ici, et c'est à cela qu'est rattachée la grâce. Qu'est-ce que vous en pensez?*

T.V. — Il s'agit d'un mystère, mais cependant, je peux vous dire que la Sainte Vierge est partout où il y a un cœur ouvert. Mais à Medjugorje, en particulier, il y a la présence de la grâce. Un des derniers messages donnés à la paroisse de Medjugorje, à la fin de septembre, est celui-ci:

> *«Remerciez Dieu qui m'a permis d'être parmi vous aussi longtemps: C'est un don spécial!»*

C'est normal! Il y en a qui acceptent et d'autres qui n'acceptent pas. Nous devons marcher avec ceux qui acceptent et ceux qui n'acceptent pas. Comme prêtre, je dois m'embarquer avec tout le monde pour suivre les racines de mon Ordre. Comme les saints l'ont fait dans le passé: saint François, saint Ignace. Ils ont grandi dans l'expérience de la prière, du jeûne, etc. Un Ordre ne peut pas se renouveler sans retourner à ses racines. Saint Ignace a pratiqué la prière. Tout le monde, croyant ou non, peut faire appel au cœur de l'Église qui est le noyau de la sainteté, et peut cheminer, avancer ensemble; de cette façon, il découvrira la grâce de la Madone et il prendra conscience de l'aide de la Vierge. Beaucoup de prêtres savent toutes ces choses, mais souvent ne sont pas capables de les traduire en pratique. On parle de pénitence, mais il est difficile de l'appliquer. Mes confrères dans la communauté me respectent, dans ma décision de jeûner, mais ils ne partagent pas l'idée.

G.G. — *Nous sommes en train de découvrir la prière profonde et le jeûne; nous avons (les prêtres) apporté beaucoup d'éléments de psychologie, de sociologie, de science sur les autels pour dire les choses en termes scientifiques.*

T.V. — Lorsqu'on a demandé à la voyante: «Tu as grandi dans la foi?» Elle a répondu: «Oui.» Mais, à la question: «Tu as grandi dans la connaissance de Dieu par le catéchisme?» Elle répondit: «Non.» Il s'agit d'un texte profond, mais théorique. Moi aussi, j'ai apporté la science aux gens au lieu de leur donner Dieu. Dieu donne par la prière, la pénitence, mais il est difficile de s'embarquer sur cette route *si la valeur du jeûne n'est pas reconnue.* Ils ont peur de faiblir, il faut travailler, etc. Il faut souligner qu'il existe deux forces dans la personne avec lesquelles nous travaillons: *la force d'agressivité* qui lutte et qui a besoin de manger, d'être fort sur le plan humain, mais il existe une autre *force: intérieure,* comme nous dit saint Paul. Nous devons découvrir dans le jeûne cette force intérieure, laquelle nous vient de Dieu. Lorsque je renonce à tout pour m'appuyer sur Dieu, je suis fort de sa force.

M.R. — *Il y en a qui disent que les pèlerinages ne sont pas importants: on peut prier chez soi.*

T.V. — C'est comme dire aux gens de ne pas aller faire une promenade; ces personnes ne peuvent pas découvrir de nouveaux horizons — cela sur le plan humain.

Sur le plan spirituel, c'est pareil. À ces lieux de pèlerinage, les gens reçoivent une vive force, des grâces particulières. (Il faudrait y aller plus d'une fois par année.) À mon avis, c'est le temps qu'on se réveille pour réanimer tous les sanctuaires de Marie, pour grandir dans la foi. Chaque sanctuaire doit être comme une étape, un refuge pour montrer la route et faire avancer le peuple de Dieu. Lourdes, Fatima, Guadeloupe, Medjugorje seront de vrais sanctuaires s'ils sont capables de développer *la dynamique spirituelle.* Nous pouvons rester fidèles à la Madone seulement avec cette dynamique. Quand l'ange a demandé à Marie si Elle voulait devenir Mère de Dieu, Marie a prié et accepté. Elle a fait grandir l'Enfant, etc. Nous devons accepter cette même dynamique si nous voulons vivre le rôle de Marie. L'immobilité tue, le mouvement fait vivre. Il faut que les prêtres donnent l'espoir du salut apporté par Marie aux gens.

M.R. — *Ce peuple en marche est la Paroisse. Vous avez déjà dit que la Sainte Vierge s'adresse à tout le peuple de la paroisse; pouvez-vous expliquer cette affirmation?*

T.V. — La Madone s'adresse à la Paroisse et *à tous ceux qui veulent la suivre.* Elle s'adresse à la Paroisse parce que celle-ci demande toute une vie. En effet, ceux qui rentrent dans la Paroisse reçoivent quelque chose qu'ils ne peuvent pas comprendre sur le plan de la grâce. Donc, il est important que la Paroisse exerce ce rôle. L'idéal de la Paroisse doit être de vivre les messages de la Madone. Cela permettra aux gens qui y vont de recevoir cette force.

M.R. — *Les gens qui sont arrivés hier disaient qu'ils avaient été marqués par l'intensité de la prière intérieure exempte de distractions — même les jeunes se sont engagés dans la prière.*

T.V. — Nous, prêtres, nous devons comprendre une chose: souvent nous discutons, nous prêchons de façon scientifique, et les gens ne nous suivent pas. Si nous prions, les gens nous suivront; nous devons être pratiquants, montrer l'exemple de l'intériorité. Si nous vivons notre christianisme sans nous occuper de ce que les autres disent, alors ils sentiront la force du message.

M.R. — *Encore un mot. Il y a quelques mois, vous nous com-*

muniquiez, parmi les messages, la sensibilité de la Madone pour l'Eucharistie. *Je me souviens d'une phrase:*

«Lorsqu'on vient à la messe, ne pas communier si on ne se prépare pas et si on n'a pas le temps de remercier.»

T.V. — Il y a des messages simples et profonds sur l'Eucharistie. J'en cite un: Une voyante a dit une fois que la Madone pleurait et disait:

« Vous venez dans l'église et vous retournez avec la tête vide. Je ne veux pas vous guider ainsi!»

Une fois Elle a dit:

«Si tu veux vivre ta messe, commence à prier en partant de la maison; viens, chaque fois, recueilli, jamais y assister sans avoir le cœur pur, jamais sortir de l'église sans remercier.»

Cela nous donne une leçon: il s'agit de petites choses, on veut faire toujours vite. Le 16 juillet 1984, la Madone a dit à Jelena qu'Elle ne lui apparaîtrait plus pour un certain temps, afin de l'éprouver. La jeune fille a prié et la Madone lui est réapparue en disant:

«Bravo! Tu n'as pas permis à Satan de t'entraîner; la messe que tu as vécue ce soir est importante parce que tu l'as vécue avec recueillement, tu as reçu un don. Donc, je t'ai apparu plus tôt.»

Voilà la force de l'Eucharistie lorsqu'on La vit avec le cœur! Dieu veut sauver le monde et celui qui veut Le suivre en est capable même s'il doit passer à travers l'épreuve, puisque c'est Dieu qui a décidé de réaliser le salut.

M.R. — *Comment avez-vous vécu le fait d'avoir été transféré de place (transféré à Vitina); lorsque vous avez laissé Medjugorje, quelle a été la proximité de Dieu pour vous?*

T.V. — Vous devez comprendre que la Madone n'apparaît pas à quelqu'un pour lui-même, mais pour l'approcher de Dieu; donc, je peux être très proche de Dieu ici. Mon attitude doit être d'adorer Dieu et de m'abandonner à Lui en toute situation puisque c'est Lui qui me guide. Même dans les difficultés, c'est Dieu qui programme tout, il nous reste à *nous jeter dans ses bras.*

M.R. — *Je pense qu'en venant ici, vous allez prêcher pendant la messe comme à Medjugorje puisque vous ne pouvez pas séparer votre expérience de votre vie, et je prévois que les gens vont vous écouter et venir nombreux, attirés par le message de la Madone, puisqu'il s'agit d'un peuple napolitain qui répond bien, en général, aux messages célestes.*

T.V. — C'est vrai ! Nous nous trompons lorsque nous pensons que les gens sont attirés seulement par des détentes matérielles ou des divertissements. Ils ont faim de Dieu. Dans nos églises, nous devons donner Dieu, non de la façon dont on le fait dans une école. Si les gens voient le bon exemple d'une vraie vie chrétienne en nous, ils nous suivent. Pour vivre la prière, il ne faut pas être des philosophes. Nous, les prêtres, nous parlons de la prière de façon théorique; nous cherchons des thèmes, etc. lorsqu'il suffirait d'être simple, de vivre la prière: s'agenouiller, prendre le chapelet dans nos mains, réfléchir, désirer prier. Le bréviaire, le chapelet, l'Évangile, les sacrements devraient nous suffire.

M.R. — *Quel autre message en ce mois (octobre 1984), la Madone a-t-elle donné à la Paroisse, à part ceux que vous avez déjà expliqués?*

T.V. — Chaque fois, la Madone a dit:

«*Mes chers enfants...*»

Et les voyants m'ont dit de répéter aux gens: «La madone vous dit:

«*Mes chers enfants*»

Que les gens acceptent que la Vierge les embrasse en disant:

«*Mes chers enfants*»

La Madone suit chacun en l'appelant:

«*Mon cher fils*»

même celui qui est faible, qui est malade... La Madone embrasse chacun en disant:

«Mon cher enfant»

Que ce message soit suffisant pour votre vie!

M.R. — *Vous avez dit que beaucoup de gens sont affamés de Dieu, et c'est vrai, mais nous remarquons que beaucoup se tournent vers la religion orientale, vers ceux qui suivent les gourous, gens qui vivent ce qu'ils disent.*

T.V. — Il y a une certaine curiosité! De plus, nous avons présenté Jésus souvent sur un plan théorique, nous n'avons pas apporté la dimension de la pratique de la foi, et nous n'avons pas été capables d'introduire les jeunes dans la vie spirituelle en profondeur. La théologie, dans ces dernières années, est devenue rationnelle, donc elle n'est pas capable de guider les gens dans la profondeur de la vie spirituelle. Nous avons perdu la mystique du Moyen Âge. Rahner a dit: «Dans les années 80, les chrétiens qui croiront en Jésus seront des chrétiens mystiques.» Lorsque nous chercherons Jésus avec conviction et avec profondeur, nous ne sentirons plus le besoin de nous tourner vers les gourous d'Orient.

M.R. — *Il y a une différence entre ces cultures orientales qui fascinent le christianisme.*

T.V. — La différence consiste dans la religion. Le christianisme nous a été révélé par Jésus Christ et dans la plénitude de la révélation de Jésus Christ. Le Bouddhisme nous donne une sagesse humaine et religieuse, mais il lui manque la Révélation.

Nous n'avons pas rencontré un Dieu philosophe, absolu, etc., mais un Dieu Père, Mère, Frère. Alors, nous sommes en familiarité avec Dieu et les choses d'au-delà ne nous sont pas inconnues, c'est pour cela qu'il est plus facile d'avancer dans la vie spirituelle. Avec la Révélation il est plus facile d'aller vers Dieu.

G.G. — *Dans un message, la Madone a dit:*

«Dites à tous mes enfants de ne pas attendre pour se convertir.»

Pouvez-vous nous dire en quoi consiste cette urgence de la Madone?

T.V. — Il y en a qui pensent tout de suite à la fin du monde. Je trouve que l'urgence de la conversion du cœur est très importante. Il y en a qui sont loin de Dieu, donc il faut qu'ils soient sauvés par moi, par vous, par nous tous. L'Église arrive à une pleine lumière plus vite et les autres doivent être éclairés par Elle. La Madone dit que les secrets sont conditionnés. Si nous vivons ces messages avec la profondeur de notre être, alors les autres seront éclairés et poussés vers le salut.

M.R. — *En cette période, nous entendons souvent parler des apparitions, manifestations sacrées qui se rapportent à Marie et à Dieu. Il s'agit presque d'infraction (mot peut-être trop fort) qui fait que l'événement de Medjugorje est mêlé à une vision mariale d'une Vierge qui pleure, qui a le visage couvert de larmes.*

T.V. — Je ne peux pas discuter sur les événements pratiques des apparitions, car je ne connais pas les faits particuliers, mais je sais que toutes les grâces qui nous font aller vers Dieu doivent être accueillies. L'Église a le rôle d'accueillir et de vérifier l'authenticité des faits. *Mais, à mon avis, nous nous trompons si nous attendons que l'Église se prononce avant de prendre une attitude.* Donc, dans tous ces événements, nous devons accepter et accueillir tout ce qu'il y a de positif, et qui nous mène à Dieu, et repousser le négatif. Dans un message, la Madone a dit à Jelena (lorsque nous avions posé une question sur le discernement des esprits):

> *« Tout ce qui nous pousse vers Dieu, c'est un don de Dieu, car Satan est un être négatif en soi-même et il vous mène vers le négatif. »*

Nous, prêtres, nous devons accepter et protéger les grâces qui nous poussent vers Dieu, et enlever l'élément humain, tout ce qui pourrait être produit par l'impulsion psychique. Nous connaissons des Saints qui ont souffert de maladies nerveuses, mais ils se sont sanctifiés parce qu'ils ont accepté la grâce divine.

M.R. — *Nous, les Italiens, nous sommes pessimistes face à la jeunesse qui suit les mauvais chemins, et pourtant je travaille dans un collège où je vois des élèves qui me font espérer; je connais aussi beaucoup de mouvements très bons et très fréquentés. Pourquoi ce pessimisme, même parmi les religieux qui, pris par leur travail, ne se rendent même pas compte des richesses qu'ils ont entre les mains? Est-ce que vous pouvez nous dire un mot d'espérance regardant notre jeunesse italienne?*

T.V. — Moi, je suis très optimiste face à la jeunesse, mais nous devons nous rappeler que Jésus nous a envoyés prêcher la Bonne Nouvelle, non de façon théorique; Il nous a donné la Force et l'Esprit Saint. Avec Lui, nous sommes plus forts que le mal (la drogue, le sexe, etc.). Avançons avec courage et ne prétendons pas changer une paroisse ou le monde à la première prédication. Commençons de façon pratique par les grands-mères de nos paroisses et nous arriverons à conquérir les enfants, les jeunes. Il faut nous mettre sur la route de la prière, du jeûne pour interpeller le monde. Et bientôt nous découvrirons les moyens pour améliorer le monde.

M.R. — *Père, pouvez-vous me donner un message que la Madone voudrait dire à mes jeunes aujourd'hui? En retournant dans ma communauté, et au milieu de mes jeunes, qu'est-ce que je pourrais leur dire?*

T.V. — Lorsque vous allez vers ces jeunes, allez-y toujours avec la Madone, et en Son Nom, jamais tout seul.

Les apparitions sont une grâce spéciale; nous n'aurons jamais fini de remercier le Ciel pour ce Don. La racine de toute spiritualité, c'est la mort et la résurrection. Lorsque nous parlons de cela aux gens, nous réveillons leur foi et ils nous demandent quoi faire... Nous devons dire aux gens ce qui est écrit dans l'Évangile. Nous devons leur dire: « Vivons la messe, vivons la charité envers le prochain ! » Le rôle de la Madone est le rôle de la mère qui réveille, qui incite à la prière, et à agir avec foi. Faites en sorte donc que vos jeunes soient touchés et réveillés dans leur foi et dans leur amour.

M.R. — *Une question sur les voyants: on nous dit que Jelena* a une lumière intérieure et voit la Madone. Marijana La voit à l'église, durant la Sainte Eucharistie.*

T.V. — Il ne faut pas s'arrêter à des détails. Les deux voient la Madone tous les jours; elles entendent sa voix. Jelena a un don plus développé, un cheminement plus profond. De toute façon, il s'agit d'un don qui nous mène à des expériences mystiques.

M.R. — *Une difficulté dans l'acceptation des messages est celle-ci: on remarque une certaine contradiction et nous savons que la Madone ne peut pas se contredire.*

T.V. — À mon avis et à ma connaissance, il n'y a pas de contradictions. Celles-ci peuvent exister à l'intérieur de la personne qui parle, un oubli sur des mots dû à la fatigue ou le désir de souligner un aspect plutôt qu'un autre du message. Dans la Bible aussi on peut trouver ce genre de contradictions. Nous devons être objectifs et chercher l'essentiel du message de la Madone qui vient des lèvres des voyants qui, à ce niveau, sont d'accord et sûrs à cent pour cent.

G.G. — *Une dernière réflexion sur l'union entre la prière et le jeûne. Cette insistance du jeûne, de la part de la Vierge, scandalise un peu les gens et, en particulier, les prêtres (l'un d'eux m'a dit que le jeûne, c'est un point d'arrivée et non de départ). Pouvez-vous nous donner quelques éclairages sur ce moyen qui conduit plus vite vers Dieu?*

T.V. — À mon avis, les deux vont ensemble. On ne peut pas jeûner sans la prière profonde et on ne peut pas prier sans jeûner.

Il s'agit de la même chose: quand je jeûne, je renonce à quelque chose pour Dieu (la faim ne m'intéresse pas) parce que je cherche Dieu. Je renonce aux plaisirs de ma vie, j'ai de la joie, même dans la souffrance, parce que je cherche Dieu. Or, la prière, c'est chercher Dieu, donc la prière et le jeûne vont de pair.

---

* Jelena Vasilij et Marijana ont été gratifiées d'un charisme. Elles voient la Vierge Marie tous les jours, mais c'est par la vision du cœur. De plus elles ont des locutions intérieures.

Je ne suis pas d'accord avec le prêtre qui dit que le jeûne est le point d'arrivée. Au contraire, si je veux aller vers Dieu, il faut que je commence à me détacher de quelque chose. Au sens large, le jeûne, c'est le détachement du mal et de tout ce qui m'entraîne loin de Dieu.

Troisième partie

Témoignage

Dix jours à Medjugorje

11 au 21 octobre octobre 1984

P. Guy Girard, s.ss.a.

C'est avec une très grande joie que j'écris ces lignes pour témoigner de ces dix jours de grâce passés à Medjugorje.

La retraite sacerdotale à Rome était terminée. Six mille prêtres et plus d'une centaine d'évêques y avaient participé. Le Saint-Père avait célébré l'Eucharistie avec ces prêtres venus de pays différents. Cette célébration fut merveilleuse et le Pape pleura de joie quand lui fut présenté le livre des signatures de chacun des prêtres avec le nom de leur pays d'origine. Une grande joie inondait mon âme et mon cœur, mais je restais insatisfait. Je ressentais encore une soif. Il y avait une autre source où je devais boire. J'étais venu à Rome comme pèlerin; j'y avais prié beaucoup et j'avais vécu l'universalité de l'Église avec mes frères prêtres.

Quittant la magnifique basilique Saint-Pierre avec huit prêtres canadiens, nous allions nous retrouver dans une autre basilique, non construite par des hommes, mais par la Vierge Marie, au petit village de Medjugorje, en Yougoslavie. La Vierge y apparaît tous les jours depuis le 24 juin 1981. J'avais lu sur ce sujet et des amis m'en avaient parlé. Bien simplement, j'avais demandé à la Vierge de planifier ce voyage pour mon frère, le Père Armand, et moi, si telle était la volonté du Père Éternel. Marie a exaucé ma prière. Elle a tout planifié. Mystérieusement conduit par Elle pendant ces dix jours, j'ai vécu une expérience spirituelle incroyable. Dans toute ma vie, il n'y a rien eu de comparable. Après les sacrements et le sacerdoce, c'est là que la grâce de Dieu a coulé à flots.

Dès la première journée, nous avons prié dans l'église de Medjugorje, qui semble avoir surgi du sol de cette petite plaine entourée de montagnes. On y a prié avec des centaines de pèlerins arrivés de partout très tôt dans l'après-midi. On a récité un chapelet à 17 heures, suivi d'un deuxième et vers 17 heures 45, le curé de la paroisse, le Père Barbarić, a invité les prêtres à se joindre aux pèlerins qui occupaient déjà la chapelle des apparitions.

Quelques instants après, les voyants sont arrivés; ils se sont placés face à l'autel et ont commencé la prière par le signe de la croix. Mais, quel signe de croix! Un signe de croix plein de TRINITÉ. Quand la Vierge apparut, les voyants s'agenouillèrent simultanément, les yeux fixés sur Elle. La beauté et la sérénité de leurs visages reflétaient leur bonheur. Mais ces mots humains ne peuvent décrire l'extase; elle ne se décrit pas, elle ne peut que se voir, et nous avons vu cette extase des voyants...!

La Sainte Eucharistie fut célébrée, et l'immense foule de pèlerins vécut *comme jamais* la grandeur de ce mystère. Avec recueillement et respect, on participe à l'offrande de Jésus qui s'offre au Père pour le salut du monde. Marie seule pouvait préparer les cœurs à cet acte sublime. C'était le premier jour: une sorte de «création». Il n'y a rien à comprendre, même et surtout si cela n'est pas divin.

Et il y eut un deuxième jour. Providentiellement, les huit prêtres canadiens ont rencontré Marija, l'une des voyantes. Simplement, elle nous a accueillis chez elle. Dans le petit salon, sa mère nous a servi un café. Nous avons causé un peu avec les limites que nous imposait la langue, malgré l'aide d'une interprète. Puis, nous avons prié la Vierge ensemble. Elle unissait nos cœurs dans une même prière. Nous avons demandé à la Vierge de nous donner un message, par Marija, à l'apparition du 13 octobre, notre troisième jour à Medjugorje.

Comme tous les jours, l'église était remplie. Nous étions deux cents prêtres. Nous ne pouvions aller dans la chapelle des apparitions. Tous les prêtres se rendirent au sous-sol du presbytère, sur l'invitation du pasteur de la paroisse. Les jeunes vinrent y prier la Vierge. Elle leur apparut plus longtemps. Une beauté se dégageait de chacun des voyants; une beauté particulière selon leur personnalité et leur âge. La Vierge donna un message à Ses prêtres[1].

Le 14 octobre au matin, nous quittions déjà Medjugorje en voiture, pour nous rendre à Split y prendre le bateau et traverser en Italie. Pendant le trajet en voiture, je sentais au fond de mon cœur la pressante invitation à demeurer une semaine de plus. Pourquoi? Je ne sais pas! Mais, plus nous nous éloignions de Medjugorje, plus l'appel se faisait pressant. C'était comme une vague incessante qui frappait et m'interpellait. Je ne savais vraiment pas le pourquoi de cet appel qui se mêlait aux AVE que je récitais. Mais la certitude se faisait plus grande. Ce n'était pas une obligation, ni même un besoin. C'était un appel de la Vierge. Je le savais! Sans comprendre, j'en étais certain!

Ce n'est qu'en descendant de la voiture que je partageai ces impressions avec mon frère jumeau, prêtre lui aussi. Il avait éprouvé le même appel. J'avais demandé ce signe à la Vierge afin d'éviter toute illusion.

Nous sommes donc retournés à Medjugorje après avoir quitté nos compagnons de voyage. Cela n'a pas semblé les surprendre, au contraire, ils nous encouragèrent à y retourner et à puiser davantage à cette source, afin de partager avec eux ce que nous allions vivre.

---

1. Ce message est donné à la page 13.

Ce fut une joie de retrouver ce petit village devenu une «*terre bénie*». Nous avons reconnu des visages marqués par le soleil et le travail. Ces femmes qui travaillent laborieusement et ces hommes qui cultivent vigne et tabac étaient devenus nos frères et sœurs. Combien de fois ils nous saluèrent et nous présentèrent des grappes de raisins. Ils ne comprenaient pas notre langue et nous ne comprenions pas la leur, mais leur charité et leur sourire nous disaient l'amour de Dieu et l'amour du prochain.

Je me souviens de cette vieille dame qui marchait vers la montagne de la croix et qui offrit son bâton de marche à un diacre; aucune parole, mais quel geste de charité! Nul doute en moi... La Vierge venait régulièrement ici à Medjugorje. Tous ces gens révélaient, par leur vie enracinée dans la prière constante, le visage de Jésus.

Marie avait façonné leur visage à l'image de Son Fils. Trois heures par jour et sept jours par semaine, hommes, femmes, adolescents, adolescentes, *tous prient*! Il est difficile de ne pas croire que cela vient du Seigneur. On ne pourra jamais éteindre ce feu d'amour allumé par la Vierge Marie dans cette terre yougoslave. Ceux qui n'y croient pas, qu'ils s'y rendent avec un bâton à la main comme vers une «TERRE PROMISE», et non avec une caméra pour y chercher le merveilleux ou l'extraordinaire.

Je n'oublierai jamais la nuit où nous avons prié sur la colline des apparitions.

Marija, l'une des voyantes, nous accueillait toujours. Nous étions de la famille, mon frère et moi. Nous partagions le pain que faisait sa mère. De cette chaleureuse maison, dont la cour arrière donne sur la colline des apparitions, nous avons gravi le sentier pour rejoindre le groupe des voyants et quelques autres jeunes. Là, cachés par quelques arbustes, ignorés des visiteurs insolites, nous avons prié la Vierge, nous avons chanté ensemble jusqu'à minuit. Le chant et les AVE récités ne se perdaient pas dans la nuit déjà très froide. Tout montait au cœur de la Vierge Marie comme un parfum précieux que la Servante du Seigneur présentait à la Trinité.

Rien de faux dans le cœur de ces jeunes. Ils savaient que nous étions là, deux prêtres avec eux. Ils savaient que nous les aimions! Cette affection n'était pas d'abord parce que la Vierge leur apparaissait, mais parce qu'ils étaient des priants.

Inoubliable aussi cette autre nuit où nous avons gravi la montagne de la croix! Secrètement, un mot se transmettait de l'un à l'autre pour réunir un groupe auquel nous allions nous joindre. Là encore, la nuit était froide; nous marchions en récitant le rosaire. On éclairait le sentier discrètement avec une petite lampe et, parvenus au sommet, après une heure de marche, les quelque quarante personnes s'inclinèrent longuement en silence. Puis, debout, on se rassemblait pour chanter la Vierge, et réciter le chapelet. Il y avait communion avec le Ciel... Rien de factice, rien de préparé à l'avance, rien de programmé. Spontanément, les cœurs s'ouvraient pour prier sous l'inspiration de l'Esprit. Puis, nous sommes redescendus de la montagne, et le groupe se dispersa pour aller réciter le rosaire dans des maisons. Les pèlerins et les prêtres étaient toujours nombreux. Une ardente prière pendant trois à quatre heures par jour montait vers le Ciel. Quantité de pèlerins assoiffés d'absolu et de pardon allaient recevoir l'absolution.

Dans cette église, personne n'est conditionné par les autres. On vient prier. Des vies sont transformées. Des retours vers Dieu s'opèrent. Des renouvellements d'une foi *habituée* se multiplient: on ne pourra jamais être ce qu'on était. Tout s'allume dans le cœur de milliers de pèlerins. La communauté chrétienne de Medjugorje fait «bloc» avec la prière des voyants, qui ne se croient en rien supérieurs aux autres. Il y a aussi ces jours de jeûne au pain et à l'eau, que l'on observe pour demeurer fidèle à sa propre conversion, et pour implorer la conversion du monde.

Oui, je ne puis croire que des fruits aussi bons ne soient pas de Dieu. Personnellement, j'ai la certitude que Marie vient une fois de plus donner un message pressant à l'humanité. Marie rappelle avec insistance les exhortations de l'Évangile à la prière constante, à la conversion, à la foi et au jeûne. Certes, l'Église se prononcera un jour sur l'authenticité des apparitions, *mais nous n'avons pas à attendre pour nous convertir.*

Si je crois avoir vu vivre en 1984 une communauté semblable à celle de la primitive Église, si je crois que l'expérience spirituelle vécue en ce lieu ne peut être que de Dieu, alors je n'ai pas le droit de me taire.

Conclusion

1. Ces dix jours à Medjugorje m'ont permis de rencontrer la plupart des voyants. Le contact avec eux me donne la certitude qu'ils sont parfaitement équilibrés.

2. Les paroissiens sont des priants d'une foi dynamique remarquable. Ils nous interpellent par leur vie de prière, leur jeûne et leur charité.

3. Les prêtres et les religieuses sont des témoins de Dieu. Les prédications ardentes sont nourries par la prière. Ils ne cherchent pas la gloire, mais s'efforcent de répondre avec une patience inlassable aux besoins des paroissiens et des pèlerins.

4. Les nombreuses conversions sont déjà un signe éclatant que l'appel de la Vierge Marie est écouté.

5. Ce que demande la Vierge: PAIX, FOI, PRIÈRE QUOTIDIENNE (chapelet), PÉNITENCE (plus spécifiquement le jeûne), la SAINTE EUCHARISTIE et le SACREMENT DU PARDON; tout cela est demandé dans l'Évangile. L'insistance de la Vierge Marie nous replace au cœur du message de Jésus.

J'écris ce témoignage pour remercier la très Sainte Vierge Marie de ce qu'Elle réalise pour nous. Je le fais aussi pour assurer de ma prière les prêtres, les religieux et les religieuses, ainsi que les paroissiens de Medjugorje, afin qu'ils soient les témoins fidèles des demandes de la Vierge.

Père Guy Girard, s.ss.a.

Témoignage

Dix jours à Medjugorje

11 au 21 octobre octobre 1984

Père Armand Girard, s.ss.a.

En 1982, j'ai entendu parler pour la première fois des apparitions de la Vierge à Medjugorje. Ces faits attirèrent peu mon attention et je ne m'y intéressai pas davantage. Maintes fois on a entendu parler d'apparitions de la Vierge, sans fondement; c'était peut-être une fois de plus...

Les mois passèrent puis parut le volume de l'abbé Laurentin concernant les apparitions à Medjugorje. Celui-ci, ayant été mon professeur en mariologie pendant mes études théologiques, j'achetai aussitôt ce volume dont les éditions s'épuisèrent rapidement. Connaissant l'abbé Laurentin, son objectivité, sa sincérité et son vif intérêt pour la mariologie, je lus son volume et, dans mon cœur, s'éveilla le rêve d'aller moi-même voir ce qui se passait dans cette paroisse perdue dans les montagnes de Yougoslavie. Je dis «rêve», car je ne croyais pas qu'un jour je puisse me rendre en ce lieu.

À la même époque, j'entendis parler d'une retraite sacerdotale mondiale à Rome. Cette retraite devait regrouper près de 6 000 prêtres venant de toutes les parties du monde. C'est dans le prolongement de cette retraite à Rome que prit forme le projet de me rendre en Yougoslavie. Je dois cependant avouer que, même arrivé à Rome, je n'étais pas encore sûr de me rendre en pèlerinage à Medjugorje. Pourrais-je entrer dans ce pays, même avec un visa? La langue slave m'apparaissait un immense handicap et, sans guide, qu'allions-nous bien faire à cet endroit? C'est avec beaucoup d'hésitation que je quittai Rome pour ce pays inconnu qui m'inquiétait.

Mon témoignage est celui d'un prêtre qui se rendait à Medjugorje pour trois jours et y resta *dix jours.*

La vie à Medjugorje

J'ai vécu dans la communauté chrétienne de Medjugorje les valeurs évangéliques telles que décrites dans les Actes des Apôtres. À l'âge de 48 ans, après 20 ans de sacerdoce, j'ose affirmer ceci: «Ce sont les dix plus beaux jours de ma vie et la plus belle retraite sacerdotale depuis mon ordination.» Ma retraite à Rome m'avait laissé quelque peu insatisfait; ici, la Vierge Marie devait compléter ma retraite par l'atmosphère de prière dont mon âme avait soif.

Ce qui m'a le plus saisi, ce ne sont pas d'abord et avant tout les voyants, bien que j'ai été accueilli par eux, mais c'est surtout ce peuple pauvre qui, chaque jour, vient prier pendant plus de trois heures à l'église. Ces gens simples dévorent la Parole de Dieu comme du bon pain. Nous sentons que leur cœur est polarisé par la Très Sainte Eucharistie. Ils jeûnent au pain et à l'eau deux jours par semaine afin de se convertir eux-mêmes et aussi pour servir, sans qu'ils le sachent, d'interpellation pour le monde entier.

Jamais, dans ma vie de prêtre, je n'ai rencontré une aussi grande charité: «Voyez comme ils s'aiment!» Le témoignage de leur vie m'a rapproché du Cœur de Dieu et du Cœur de Marie. Devant ces gens humbles, sans aucune prétention, je sentais qu'en ce lieu, la prière est devenue l'oxygène et la respiration de cette paroisse. Et cette prière ne s'arrête pas aux trois heures passées à l'église, mais elle semble monter vers Dieu jour et nuit. *Ici, on ne parle pas de la prière, on prie!*

Dans ce coin de pays, il se produit quelque chose qui dépasse le rationnel de nos intelligences: l'amour du cœur de chacun *boit Dieu* comme un bon verre d'eau fraîche. Jamais, absolument jamais, je n'ai vu une telle foi! J'ai aussi la conviction profonde que le cœur de ces chrétiens est comme soudé au Cœur de Jésus et au Cœur de Marie. Ainsi vivaient les premiers chrétiens: «Tous considérant les autres comme meilleurs qu'eux.»

Nous nageons dans un bain de prière. Quel rafraîchissement pour nos âmes asséchées comme des éponges sans eau! Beaucoup écrivent sur Medjugorje; il vaudrait mieux qu'ils s'y rendent!

Les gens de Medjugorje sont prêts à tout partager avec nous. Nous ne parlons pas leur langue, mais c'est peu important. Ils parlent le langage du cœur et ce langage est universel. Oui, en les regardant vivre, j'ai compris qu'ils sont plus libres que nous. Nos libertés sont emprisonnées dans le confort de notre matérialisme; eux, ils jouissent de la liberté des enfants de Dieu, et *cette liberté est intérieure.* Personne ne peut la leur enlever; elle est au cœur de leur âme. Emprisonnés, menottés, menacés, ils sont plus libres que nous. La VÉRITÉ les a rendus libres! L'Évangile les a rendus LIBRES!

Les valeurs qu'ils portent en eux sont de l'ordre de l'Évangile. On pourra tout faire contre eux, on ne pourra pas leur nuire vraiment. Ces gens sont enracinés dans le Cœur de Dieu et dans le Cœur de la Très Sainte Vierge Marie. Durant dix jours, mon frère, le Père Guy, et moi, avons été *plongés* au cœur de cette paroisse. Nous nous sentions adoptés par eux et nous avions l'impression de connaître ces gens depuis toujours. Au fond, n'avons-nous pas la même MÈRE? LA VIERGE MARIE!

Pendant ces dix jours, des centaines de prêtres et d'évêques sont passés à Medjugorje et nous avons concélébré ensemble. Peut-être quelques-uns partent-ils indifférents? C'est la minorité, s'il s'en trouve. Je suis certain que beaucoup de prêtres repartent transformés.

Moi, je ne pourrai plus jamais être ce que j'étais auparavant. Quelque chose a changé en moi, et ce quelque chose a un poids d'éternité!

Rencontre avec les voyants

La Vierge Marie nous accorda de très grandes grâces pendant notre séjour à Medjugorje. Nous avons rencontré les voyants et leur famille. C'est grâce à notre petite sœur Marija si nous avons rencontré les autres voyants. C'est une joie bien grande de rencontrer ces jeunes qui aiment tellement Marie et qui sont tellement aimés par Elle. C'est avec Marija que nous avons d'abord prié. Avec elle, nous sommes allés voir Vicka et ses parents, et notre marche nous a fait rencontrer Ivan et ses parents travaillant au tabac. Nous avons terminé la randonnée chez Jakov en jouant au soccer. Quelle fraîcheur! Quel climat merveilleux! Deux prêtres canadiens jouant à frapper un ballon avec Jakov, Marija et Vicka au pied de la montagne de la Croix... Et puis, je crois que la Vierge nous gâtait beaucoup, Guy et moi. Il s'est établi entre nous et les voyants une sorte de connivence. Ils nous avertissaient de leurs lieux de prière. Le soir, après la célébration de l'Eucharistie, nous nous rendions chez Marija; elle nous donnait un vêtement plus chaud, car les nuits sont froides. Puis, nous gravissions la colline des apparitions en récitant le chapelet. Arrivés à l'endroit fixé, nous rencontrions d'autres jeunes faisant partie du groupe de prière. Nous passions quelques heures à réciter des AVE, à chanter les bontés de la Très Sainte Vierge, à écouter le silence de la nuit, puis, un peu avant minuit, nous étions de retour chez Marija.

Un autre soir, nous gravissions la montagne de 540 mètres, la montagne de la Croix. Des gens plus âgés font partie de cet autre groupe de prière. Nous avons une longue route à parcourir durant la nuit, éclairés de petites lumières de poche qu'on nous invite à ne pas trop utiliser. Je revois ces gens au sommet de la montagne. Tous s'agenouillaient devant la croix et baisaient le sol avant de commencer le rosaire et le chant. Ici, au cœur de la nuit, je pensais au monde entier pour lequel nous allions prier, et je sentais qu'un peu du Ciel était répandu sur cette terre bénie. Nous étions les deux seuls prêtres sur cette montagne. Nous ne connaissions pas les personnes qui avaient prié durant cette longue ascension, mais la prière nous unissait.

Ce chemin étroit et rocailleux m'a rappelé le chemin de la perfection de sainte Thérèse d'Avila. Ces deux groupes de prière débordent le groupe des voyants et je considère qu'ils sont d'une nécessité vitale pour que *jamais* la flamme de la FOI ne s'éteigne en ce lieu.

Ce sont des momens forts qui nous unissent à l'INVISIBLE.

Dans le silence de la nuit, ces AVE MARIA me semblent protéger ce village et ce pays contre toutes les agressions du malin. Après cette prière, nous redescendons de la montagne en continuant à prier, pour ensuite nous quitter et aller prier ailleurs.

Guy et moi, nous retournons chez Marija. Dans le petit salon, nous faisons l'action de grâce pour la journée qui se termine. Je crois que ceux qui sont allés en touristes à Medjugorje ne comprendront jamais la joie du pèlerin.

Nous avons veillé plusieurs soirs chez Marija et nous avons partagé le repas du midi. Tout était simple, chaleureux, cordial.

Chapelle des apparitions

Durant les dix jours passés à Medjugorje, j'ai eu la grâce d'assister six fois à l'apparition de la Très Sainte Vierge Marie aux voyants. Ce fut pour moi un très grand privilège. Nous étions environ trente à quarante prêtres dans cette petite chapelle. Pour y entrer aussi nombreux, il faut vraiment accepter d'être debout durant tout un Rosaire. Nous entrons donc avant les voyants, et nous prions la Vierge Marie. Lorsque les voyants arrivent, ils se placent devant le petit autel et commencent à prier.

Avec un très grand respect, ils débutent par le signe de la croix. Après quelques instants de prière, ils s'agenouillent simultanément, les yeux fixés sur la Très Sainte Vierge Marie, qu'ils regardent avec une joie indescriptible. C'est l'extase, qui dure de trois à quatre minutes. Aucun mot, aucune parole humaine ne peut décrire ce qui se passe ici. Nous sentons que ces jeunes, très différents les uns des autres, communient à la même joie. Rien ne les distrait. Les lumières des «flashes» de caméra, la présence des prêtres, la chaleur écrasante de cette petite chapelle, rien ne trouble cette extase. Ils sont hors du temps, les yeux fixés sur leur Mère du Ciel. Nous n'entendons rien, mais nous sentons bien qu'il y a un dialogue entre la Mère et ses enfants. Puis, tout se termine par un mot à peine perceptible et que j'ai compris à mon retour au Canada: «ODE!», ce qui signifie: «Elle est partie!»

Les jeunes sortent pour continuer la prière et assister à l'Eucharistie. Ils sont redevenus comme tous les autres, sans traitement spécial, sans être mis en vedette. Ils retournent chez eux avec leurs amis. Un seul point peut les distinguer: le «JE VOUS SALUE, MARIE» qu'ils récitent est d'une très grande intériorité. Il jaillit de leur cœur sans aucune crispation, fruit de leur dialogue intime avec leur Mère du Ciel.

Je les ai observés et photographiés, non par curiosité, car, intérieurement, je demandais pardon à la Vierge de mon audace, mais par souci de vérité. Je les ai vus six fois et c'était toujours nouveau, comme si c'était la première fois. Étant face aux voyants, quelque chose m'obligeait à m'agenouiller et, très souvent, je sentais un parfum que je ne peux décrire, mais qui m'apportait une grande paix intérieure. Ces quelques instants m'invitaient à prier la Très Sainte Vierge Marie en saisissant la tendresse maternelle qu'Elle a pour chacun de nous. Ce sont des instants divins qui marquent une existence humaine, et je ne pourrai jamais les oublier.

«BIENHEUREUX CEUX QUI CROIENT
COMME S'ILS VOYAIENT!»

Conclusion

Il m'est difficile de tirer une conclusion sur ce pèlerinage à Medjugorje, car il me semble n'avoir rien dit tellement ce pèlerinage fut rempli de grâces. Je veux souligner que mes craintes furent dissipées par une présence constante de la Vierge Marie. Cette Mère que Jésus nous a donnée du haut de la Croix me protégeait d'une manière si évidente que malgré de multiples événements, qui auraient pu être facheux et même graves, jamais je n'ai senti dans mon cœur la moindre anxiété. Pourquoi craindre? Notre Mère nous accompagnait. Elle me traçait jour après jour mon itinéraire en me guidant avec la délicatesse enveloppante de l'amour maternel. C'était peut-être la première fois que mes yeux d'aveugle s'ouvraient à la dimension spirituelle de la maternité divine de Marie.

Ce pèlerinage m'a fait comprendre que prier la Très Sainte Vierge Marie n'est pas une dévotion de plus que nous devons avoir. Sa présence dans notre vie sacerdotale est une NÉCESSITÉ ABSOLUE. Mère du Christ-prêtre, Elle est cet oxygène qui enveloppe tout notre agir pastoral.

En terminant ce témoignage, je veux dire à ceux et celles qui me liront: «Les appels de la Vierge sont ceux de l'Évangile:

«PRIEZ, PRIEZ BEAUCOUP»

«CONFESSEZ-VOUS MENSUELLEMENT»

«JEÛNEZ AU PAIN ET À L'EAU, SURTOUT LE VENDREDI»

«FAITES PÉNITENCE»

«ABANDONNEZ-VOUS À LA VOLONTÉ DU PÈRE»

J'ose espérer que ces quelques pages aideront à la réalisation des désirs de la Vierge Marie à Medjugorje. C'est en toute soumission à l'autorité de l'Église que j'ai écrit ce témoignage. Il m'était impossible de ne pas dire ce que ce pèlerinage m'avait apporté personnellement.

Union de prière en Jésus et Marie,

Père Armand Girard, s.ss.a.

Au lecteur

Toi qui as lu ces lignes, puisses-tu t'engager à suivre les DEMANDES de Marie. Sans l'ombre d'un doute ton cœur sera renouvelé. Ne crains pas le jeûne, le sacrement du pardon, la prière, le chapelet, la Sainte Eucharistie! Ne te laisse pas influencer en croyant que la Vierge demande trop. Il suffit simplement de commencer. Ta joie sera d'une telle force que tu sauras qu'elle vient de la Vierge et qu'elle ne peut conduire qu'à Jésus.

G.G.

Février 1985

Une *preuve* de plus de l'*Amour* que notre Mère porte à ses enfants. La Reine de la Paix a confirmé par des *signes* l'authenticité des apparitions. En ce domaine *les signes sont concrets et fréquents*. Nous La remercions profondément. Notre sacerdoce nous oblige au secret et à l'obéissance à l'Église.

En foi de quoi nous avons signé

Père Guy Girard s.ss.a.
Père Armand Girard s.ss.a.

Introduction au témoignage
de Georgette Faniel

Le véritable auteur de ce témoignage, c'est Georgette Faniel, une canadienne d'origine belge, née en 1915 à Montréal, où elle vit encore.

Le choix gratuit du Père Éternel se posa sur elle, dès son enfance. En effet, à l'âge de six ans elle entend la voix de Jésus. Cette voix résonne au fond de son cœur (locution intérieure), mais aussi à l'oreille (locution auditive). Peu à peu ce dialogue avec Jésus deviendra manifeste. Puis elle entendra la voix du Père, celle de Jésus, de l'Esprit Saint et de la Vierge Marie. Ce dialogue constant fera partie de sa vie comme un fait normal. L'intimité des Personnes Divines et de la Vierge Marie à son égard sera toujours grandissante.

Elle dort environ une ou deux heures par nuit. Les autres heures sont des heures de prière pour le monde, pour le renouvellement spirituel de l'Église, pour la sainteté des consacrés(es) à Dieu. Elle prie aussi pour soutenir notre Saint-Père le Pape Jean-Paul II, pour louer la Vierge Marie et glorifier le Père Éternel.

Cette longue vie d'intimité avec Dieu fut toujours cachée aux regards humains. Dans ses notes spirituelles, elle écrit un jour ce que le Père Éternel lui disait: «COMME MON FILS, TU AURAS UNE VIE PUBLIQUE.» Mais alors elle n'en comprenait pas la signification ni comment cela allait se réaliser.

Après soixante et douze (72) ans de vie cachée, le Père Éternel lui indique comment sortir de l'anonymat. Si elle écoutait sa volonté, elle s'y refuserait. Mais le Père Éternel lui demande de mourir à sa volonté pour n'accepter que la Sienne. Il lui dira: «ACCEPTE AVEC AMOUR QUE LE TÉMOIGNAGE SUR MEDJUGORJE SOIT PUBLIÉ, AFIN DE FAIRE CONNAÎTRE L'AUTHENTICITÉ DES APPARITIONS.»

C'est par obéissance à ce Dieu qu'elle aime tant qu'elle nous livre ce qui lui est le plus cher: son intimité avec la Sainte Trinité et avec la Vierge Marie. Ce témoignage a été fait comme un reportage sous une forme de dialogue par les Pères Armand et Guy Girard.

Nous espérons que cette présentation de Georgette Faniel permettra au lecteur de mieux comprendre ce qui suit.

Naissance du témoignage

Comme ce témoignage revêt une importance capitale, nous allons essayer de décrire dans quel contexte il a pris naissance. Nous avions fait, mon frère Guy et moi, un pèlerinage à Medjugorje en octobre 1984. Ce fut une expérience spirituelle merveilleuse.

L'année suivante à la même époque, après une retraite personnelle (spirituelle) de sept jours à Rome, nous n'avons pu nous soustraire à l'appel de la Vierge Marie et nous retournons à Medjugorje. À la suite de cette nouvelle expérience nous nous sommes sentis renouvelés.

En octobre 1985, nous avions parlé en particulier avec un franciscain des signes concrets et fréquents que la Vierge Marie effectue à travers la servante du Père Éternel, Georgette Faniel, à Montréal.

À Medjugorje nous avons réussi par l'intermédiaire de la voyante Marija à demander à la Vierge Marie si le témoignage et les signes concrets que nous avons avec Georgette FANIEL pour authentifier les apparitions de la Vierge Marie à Medjugorje devaient être transmis au Saint-Père. La Vierge Marie nous a répondu:

« Chers enfants, priez et dans la prière, Dieu vous enverra la lumière sur ce que vous devez faire. Vous allez le sentir dans vos cœurs. »

Cette réponse fut pour nous extraordinaire car elle voilait aux yeux de tous les autres son sens profond, excepté à ceux à qui elle s'adressait.

Nous revenons au Canada renouvelés et confiants. Nous avons prié et médité sur tout ce qui se passait entre Georgette et nous, en relation avec Medjugorje. Le temps est-il venu pour en dire plus? Le 16 novembre 1985, je me suis rendu célébrer la Sainte Messe dans le sanctuaire dédié au Père Éternel, chez Sa petite servante, à qui le Seigneur a accordé de très grandes grâces. Je lui demande de poser la question suivante à Jésus:

« Demande à Jésus pendant la Très Sainte Eucharistie: Devons-nous parler de ce qui se passe au Canada et qui concerne directement les apparitions de la Vierge à Medjugorje? »

Après cette demande, j'ai célébré la Très Sainte Messe. Pendant ce temps Georgette pria devant le Précieux-Sang avec un profond respect, puis elle dit:

« Jésus, je Te demande, par l'intercession de MARIE, REINE DE LA PAIX, donne-nous une réponse. Je T'en supplie Jésus donne-nous une réponse! » (Prière de supplication intense.)

Des larmes de joie coulèrent de ses yeux: « Nous avons une réponse. »

« Pourquoi t'aurais-je inspiré d'offrir ta vie pour témoigner de l'authenticité des apparitions de la Vierge à Medjugorje? »

Cette réponse est donnée avec autorité par le Père Éternel. Servante du Père et épouse de Jésus, Georgette Faniel reconnaît tout de suite et sans hésitation la voix de son Créateur. Je me suis rappelé à ce moment que, pendant la Semaine Sainte en 1985, la petite servante du Père Éternel avait offert sa vie pour témoigner de l'authenticité des apparitions de la Vierge à Medjugorje.

C'est après cette réponse du Père Éternel à sa servante Georgette, que nous avons écrit, mon frère Guy et moi, ce témoignage pour Medjugorje. Ce texte était confidentiel et ne devait pas faire l'objet d'une publication. En Croatie, nous l'avons envoyé à deux prêtres. L'un d'eux l'a fait traduire en croate et avec notre permission l'a donné à lire à quelques-uns. Il nous écrivait: «Il me semble que Georgette, ce joyau du Père, ne devrait plus se cacher; que Georgette elle-même prenne courage et demande à ses interlocuteurs célestes! Ni le Père (Père Éternel), ni la Mère (Marie, Reine de la Paix) ne seront fâchés, si elle pose cette question.»

Il fallait donc demander au Père Éternel si c'était Sa Sainte et Adorable Volonté que ce témoignage devint public. Ce qui fut fait. Le 9 mai 1986, je me suis rendu célébrer la Sainte Messe chez Georgette. Avant de commencer l'Eucharistie, je lui expliquai la nécessité d'interroger ses interlocuteurs célestes pour savoir si le «TÉMOIGNAGE POUR MEDJUGORJE» devait être rendu public. C'est après la célébration de l'Eucharistie que j'ai interrogé la petite servante du Père.

A.G. — *As-tu posé la question à tes interlocuteurs célestes et laquelle?*

G.F. — Oui, j'ai posé la question suivante au Père Éternel: *Est-ce que c'est Votre Volonté, Père Très Saint, que le témoignage de ma vie et le témoignage pour Medjugorje soient rendus publics en dévoilant mon nom?*

A.G. — *Quelle réponse as-tu reçue?*

G.F. — La réponse du Père Éternel fut celle-ci: *Pourquoi t'aurais-je gardée en terre chaude pendant des années, cachée aux regards humains, sinon pour que tu produises beaucoup de fruits?*

A.G. — *As-tu posé d'autres questions?*

G.F. — Non, mais j'ai mis une objection!

A.G. — *Une objection?*

G.F. — J'ai dit: *Si le grain ne meurt en terre, il ne peut porter de fruits?*

A.G. — *Et le Père Éternel?*

G.F. — Le Père Éternel a répondu: *Je suis d'accord, mais je veux que tu meures à ta volonté!*

A.G. — *Le Père Éternel a-t-il ajouté autre chose à cette réponse?*

G.F. — Oui, Il a ajouté: *Je t'ai déjà dit: Comme mon Fils bien-aimé tu auras une vie publique.*

A.G. — *A-t-il dit d'autres paroles?*

G.F. — Oui.

A.G. — *Lesquelles?*

G.F. — Il m'a dit ceci: *Par le don total de ta vie, tu es le trésor de l'Église où les petits, les pauvres, les malades, l'Église, l'humanité entière iront s'enrichir devant notre alliance. Tu es la fille bien-aimée de la Vierge Marie, Reine de la Paix, et pour la Trinité Sainte tu es notre joyau. Par l'acceptation de Notre Volonté, tu vis avec ton époux bien-aimé le don total comme prêtre et victime, pour Me glorifier et pour soutenir le Saint-Père, les âmes consacrées et l'humanité. Accepte avec amour que le témoignage soit publié afin de faire connaître l'*authenticité des apparitions. *Renonce à ta volonté pour n'accepter que Notre Sainte et Adorable Volonté sur toi. Cet acte d'abandon est l'acte sublime de ta vie comme épouse du Christ, comme mère de tes enfants spirituels, comme servante de la Trinité Sainte et comme confidente de la Vierge Marie, Reine de la Paix.*

Nous te remercions et garde cette paix du cœur, de l'âme et de l'esprit. C'est le plus beau cadeau que tu puisses nous offrir que de nous remettre ta volonté. Tu vis en ce moment la belle prière du don total. Remets ta volonté entre mes mains comme mon Fils l'a fait sur la croix par amour. Tu dois mourir victime de notre amour, pour l'Église et pour l'humanité que je t'ai confiées. Reste-nous fidèle jusqu'à la fin, alors ce sera le commencement d'une vie nouvelle avec Nous pour toujours.

A.G. — *Je te remercie de tout cœur de m'avoir donné cette réponse claire venant du Père Éternel.*

G.F. — Ce ne fut pas facile, car Satan essayait continuellement de brouiller la voix du Père Éternel, mais la Reine de la Paix me défendait.

A.G. — *Je te remercie beaucoup.*

Locutions intérieures et auditives

A.G. — *Étant donné qu'avec la permission du Père Éternel, nous avons décidé de parler, à mon avis, le mieux serait que tu racontes ta vie et l'action divine en toi sous forme de dialogue. Ce serait plus simple et plus vraisemblable. Tu es d'accord?*

G.F. — Si tu veux mais ce sera une vraie mortification pour moi.

A.G. — *Georgette, je sais que c'est une très grande souffrance pour toi de répondre aux questions de mon frère Guy et moi, car tu me disais qu'à chaque fois que tu dévoiles par obéissance ce que Dieu a fait dans ta vie, c'est comme si des lambeaux de chair tombaient de ton cœur. C'est exact... Quand Jésus a eu la sueur de sang son Divin Corps a été couvert de plaies innombrables. Voilà pourquoi durant la flagellation, Son Corps tombait en lambeaux. Et nous puisque nous nous sommes mis d'accord nous allons continuer la conversation.*

G.F. — Dois-je répondre à toutes tes questions?

A.G. — *Oui, car ce témoignage va dans le sens de ton offrande au Père quand tu Lui as dit: Père Éternel, je vous offre ma vie pour témoigner de l'authenticité des apparitions de la Vierge à Medjugorje.*

G.F. — J'accepte de répondre à tes questions, mais j'ai toujours l'impression que je parle d'une autre personne.

A.G. — *Eh bien, dis-moi quelles sont les premières grâces que tu as reçues dans ta vie?*

G.F. — C'est vers l'âge de six ans que j'ai commencé à entendre la voix de Jésus dans mon cœur. Je croyais que ce dialogue constant avec Jésus se passait ainsi pour tous les enfants...

A.G. — *Tu devais être très heureuse d'entendre cette voix!*

G.F. — Oui, mais souvent j'ai désiré ne plus entendre cette voix de Jésus, car la fidélité aux demandes du Seigneur était exigeante. De plus, Satan me disait que tout cela était faux (pure invention)!

A.G. — *En as-tu parlé à quelqu'un?*

G.F. — Non, car j'avais peur qu'on se moquât de moi et mon âme d'enfant était souvent angoissée. À ce moment-là Satan me disait que j'étais damnée... Il me disait: «Tu as fait une mauvaise confession... Tu as commis un sacrilège.» Je vivais tiraillée et je pleurais souvent à la pensée d'avoir perdu mon Bien-Aimé Jésus et l'amitié de la Vierge Marie. Cependant j'allais toujours me réfugier près d'Elle. Ce n'est que plus tard que mon âme d'enfant fut éclairée.

A.G. — *Depuis combien de temps déjà entends-tu cette voix de Jésus?*

G.F. — Ça fait 66 ans.

A.G. — *Tu as donc parlé beaucoup à Jésus!*

G.F. — Pas uniquement avec Jésus, mais aussi avec le Père et l'Esprit Saint ainsi qu'avec la Très Sainte Vierge Marie.

A.G. — *Tu veux dire que tu entends aussi la voix du Père Éternel, la voix de l'Esprit Saint... la voix de Marie.*

G.F. — Oui, c'est cela...

A.G. — *Mais comment les distingues-tu?*

G.F. — La voix des Personnes Divines est perceptible au plus profond de mon cœur, et aussi à mon oreille...

A.G. — *Comment s'adressent-ils à toi?*

G.F. — Ils me communiquent des expressions et des mots différents... La tonalité de la voix est également différente.

A.G. — *Comment te parle le Père Éternel?*

G.F. — Il parle avec plus d'autorité, mais aussi avec un grand amour et une grande miséricorde. Sa voix est plus grave. Je sens dans mon cœur qu'une crainte révérentielle mais amoureuse m'envahit, comme le Père parle à son enfant. En ce qui concerne Marie, c'est Lui qui a autorité sur Elle.

A.G. — *Peux-tu dans ce sens parler aussi de Jésus?*

G.F. — Jésus s'adresse à moi dans un langage plus personnel. Il m'appelle: «Ma Bien-Aimée, Ma petite épouse... Ma petite hostie d'amour, Ma petite victime d'amour.» C'est un langage de douceur et, s'Il me fait des reproches, en même temps Il me console de la peine que je ressens.

A.G. — *Et l'Esprit Saint?*

G.F. — Il m'aide surtout dans les décisions à prendre. Je sens profondément en moi que c'est l'Esprit Saint qui dirige ma prière. Il m'assiste en tout et même dans des tâches matérielles.

A.G. — *Comprends-tu très bien que les personnes de la Trinité sont distinctes?*

G.F. — Oui, je le vois en moi avec une sorte d'évidence, mais je n'ai pas les mots pour l'expliquer. Je vois aussi qu'Ils ne forment qu'un seul Dieu.

A.G. — *Tu m'as dit que la Vierge Marie s'adressait à toi, quel rôle joue-t-Elle dans ta vie?*

G.F. — Elle est ma Mère! Je suis Sa fille. Elle fait partie de mon intimité avec Dieu.

A.G. — *De quoi te parle-t-Elle?*

G.F. — Elle me parle de la miséricorde du Père envers moi et envers l'humanité. Elle me parle de Son Fils Jésus, de tout ce qu'Il a enduré pour moi. Elle me dit d'être très attentive aux grâces de l'Esprit Saint et à Ses Inspirations. Elle est ma confidente. C'est vers la Croix de Son Fils qu'Elle me dirige en m'indiquant comment me conformer totalement à la Volonté du Père.

A.G. — *Fait-Elle autre chose pour toi?*

G.F. — Oui, c'est Marie qui m'a conduit dans la vie spirituelle. C'est Elle qui fait mon éducation.

A.G. — *Qu'est-ce que tu entends par éducation?*

G.F. — Elle m'enseigne comment comprendre ce que Dieu fait en moi. Elle m'enseigne l'humilité, c'est toujours avec une infinie délicatesse et une douceur maternelle qu'Elle me reprend lorsque je ne me corrige pas de mes manquements.

A.G. — *Georgette, maintenant je vois comment les trois Personnes Divines et la Vierge Marie t'ont conduit. As-tu un prêtre qui t'a guidée dans ta vie spirituelle?*

G.F. — J'ai attendu près de vingt ans avant de trouver un prêtre, un directeur spirituel, qui découvre ma vie et qui a eu la grâce d'y croire.

A.G. — *Qui était ce prêtre?*

G.F. — C'est le Père Joseph Gamache, s.j., qui fut mon directeur spirituel pendant vingt (20) ans. Il est décédé à l'âge de quatre-vingt-quatre (84) ans.

A.G. — *Et après sa mort?*

G.F. — C'était le Père Paul Mayer, s.j., qui fut mon second directeur, il est maintenant âgé de quatre-vingt-quatre (84) ans. Il m'a dirigée pendant 17 ans. C'est lui qui me demanda de prier afin que le Père Éternel m'indique clairement celui qui devrait être mon nouveau directeur spirituel. Il me demanda de faire une retraite de trois jours à cette fin...

A.G. — *Quand l'as-tu appris?*

G.F. — Je ne voulais pas choisir en suivant mon goût personnel. J'ai prié beaucoup et le 8 décembre 1983, en la fête de l'Immaculée Conception, durant la célébration de la Très Sainte

Messe, j'entendis clairement la Vierge Marie m'indiquant le choix très spécifique du Père Éternel. «*Le Père Armand sera ton directeur spirituel, et le Père Guy Girard sera ton conseiller spirituel et sera responsable de tes notes spirituelles.*»

A.G. — *C'est bien, Georgette, mais crois-tu que d'autres personnes peuvent avoir cette voix intérieure?*

G.F. — Oui, j'en suis convaincue. Je ne suis pas une personne à part. Il nous faut être attentif aux inspirations de la grâce que l'on reçoit dans la prière, dans le silence demandant sans cesse à la Vierge de nous conduire vers le Père avec Jésus.

Il ne faut pas chercher le merveilleux. C'est dans la simplicité du cœur, de l'âme et de l'esprit que Dieu se manifeste. Il nous faut demander à la Vierge Marie avec humilité de nous apprendre comment aimer et servir le Père. L'âme qui demande avec Foi et sincérité est toujours exaucée. Jamais le Père ne rejette une prière! Il a son heure! Il faut savoir attendre...

Montée spirituelle

A.G. — *C'est évident que la prière est le chemin par lequel nous devons passer pour arriver à l'intimité divine. Georgette, pour toi qui as parcouru cette montée spirituelle qui n'est pas terminée, j'aimerais te poser quelques questions. Quand tu étais jeune, comment priais-tu?*

G.F. — L'un des premiers faits qui m'a interpellée est celui-ci: Quand à l'âge de quatre (4) ans je me suis blessée, ma grand-mère me demanda d'unir ma souffrance à celle de Jésus. Elle me disait: «Regarde Jésus, Il n'a pas seulement un doigt de blessé mais toute la main.» Je baisais le crucifix, et je disais à grand-maman: «Cela fait mal pareil!» Cependant, j'ai toujours grandi avec la voix intérieure. C'était pour moi quelque chose de tout à fait normal. Je n'en tenais plus compte. J'aimais aller prier dans la solitude et le recueillement. C'est alors que le dialogue avec Jésus était plus intime.

A.G. — *Combien de temps consacrais-tu à la prière?*

G.F. — La prière était mon refuge dans la joie, comme dans la peine. Je demandais au Père Éternel de me protéger. J'y consacrais le plus de temps possible. Vers 15 ans, je faisais au moins une heure sainte par jour.

A.G. — *Ne crois-tu pas que tu exagérais dans le temps accordé à la prière?*

G.F. — Non, je ne pense pas. Sur 24 heures, donner une heure à Dieu n'est pas exagéré. Dieu veille sur nous 24 heures sur 24.

A.G. — *Dans ton cheminement spirituel, y a-t-il eu d'autres moyens qui t'ont aidée?*

G.F. — Oui, je m'étais consacrée à Marie dans la Congrégation des Enfants de Marie.

A.G. — *Autre chose, peut-être?*

G.F. — Oui, à 17 ans je m'offrais comme victime à l'Amour Miséricordieux pour le salut du monde. C'était un groupe qui avait pour nom: «L'Association des Âmes Victimes» dont le responsable était le Père Charette, dominicain.

A.G. — *As-tu fait des voeux?*

G.F. — Oui, j'ai fait les trois voeux (pauvreté, chasteté, obéissance) en présence de mon directeur spirituel, le Père Gamache, S.J.

A.G. — *As-tu fait d'autres voeux?*

G.F. — Oui, mon directeur me demanda si je voulais faire le voeu d'immolation et m'offrir en holocauste d'Amour au Père Éternel pour les âmes consacrées. Ce que je fis avec joie. Plus tard Jésus me parla des fiançailles spirituelles.

A.G. — *Savais-tu alors ce que cela signifiait?*

G.F. — Je le comprenais par ce que m'en disait Jésus. Mais je me savais toujours indigne. Il me semblait que c'était uniquement pour les consacrés(es).

A.G. — *Quand Jésus te demanda-t-Il de devenir Sa fiancée?*

G.F. — C'est le 22 février 1953. *Je te désire comme ma fiancée,* me dit-Il. *Et tu porteras l'anneau que ton directeur te bénira. Cet anneau te protégera toujours. Il t'aidera à remplir ton rôle de fiancée du Christ et d'y être fidèle. Toi, tu n'es rien. Moi, je suis tout.*

A.G. — *Est-ce que cet engagement fut exigeant pour toi?*

G.F. — Oui, une plus grande exigence de prière pour répondre à ce que Dieu attend de moi. Mais, j'ai eu des moments de révolte où j'ai enlevé l'anneau et je l'ai lancé car je ne voulais plus rien savoir des demandes de Jésus.

A.G. — *Quelle fut la réaction de Jésus?*

G.F. — Jésus a eu de la peine de ce geste ignoble de révolte. Son cœur a été blessé à cause de tout ce qu'Il avait fait pour moi. Il me disait: *Avec quel amour je me suis penché vers toi, quand tu étais blessée par le péché!* Jésus s'est alors penché vers moi avec beaucoup plus d'amour et d'attention.

A.G. — *Comment as-tu vécu après ce moment de révolte?*

G.F. — Ce fut la sécheresse, le combat, les attaques de Satan pour me détruire. «Tu n'as aucune raison de continuer à vivre», me disait Satan. Je n'avais plus le goût de prier. Même les sacrements étaient devenus une lourdeur pour moi. Mon directeur spirituel me fatiguait. Il me semblait qu'il était devenu une entrave à ma vie spirituelle.

A.G. — *Et alors?*

G.F. — Alors, mon directeur spirituel m'obligea à écrire tout ce que je vivais pour vérifier encore davantage ma vie spirituelle et tout ce que contenait cette intimité cachée. C'était pénible pour moi, car il me semblait trahir un secret qui existait depuis mon enfance avec Jésus et Marie. Ce furent des moments difficiles. Cette intimité cachée, personne ne la connaissait. Je vivais avec un sentiment de trahison. Je me sentais coupable même d'en parler à mon directeur. Mais un jour, le Seigneur me dit: *Dis-lui tout, il Me représente.*

Je ne croyais pas que la souffrance unie à celle de Jésus avait un sens de rédemption et de purification. Je la voyais comme une punition.

A.G. — *Comment voyais-tu Dieu?*

G.F. — Je Le voyais lointain. Je ne voulais plus regarder le crucifix. Ses plaies m'éloignaient de Lui. Dans l'état d'âme où j'étais placée, je ne croyais plus que cela était une purification. Je ne croyais plus à ce que le Père Gamache, mon directeur spirituel, me disait. Ce prêtre m'a dit un jour: « Votre âme a coûté le Sang du Christ et elle me coûte cher à moi aussi. » Ce n'est que plus tard, que j'ai compris ce que ce prêtre avait fait de prières, de mortifications, de jeûnes pour m'aider et libérer mon âme. C'est lui qui m'a fait correspondre à ce que Dieu attendait de moi.

A.G. — *À la suite de ce cheminement spirituel, à quoi Dieu t'a-t-Il engagée?*

G.F. — Il m'a appelée au détachement de ma famille, de mon entourage, de mes amis et Il m'a conduite au détachement de ma volonté. C'était le plus important: me détacher de moi-même.

A.G. — *Que représente pour toi ce détachement?*

G.F. — Il me fait prendre conscience que sans Dieu je ne peux rien. Il me fait comprendre sa Miséricorde Infinie, car je peux le voir les bras tendus vers nous pour nous recevoir, quel que soit l'état de nos âmes. Je Le vois les yeux fermés sur nos péchés, nos manquements, mais Son Coeur rempli d'amour est toujours ouvert pour nous accueillir. Tout ce qu'Il demande à l'âme, c'est la bonne volonté, la sincérité, la confiance dans Sa Miséricorde Infinie pour chacun de nous. Le plus important, c'est la conformité à la Volonté du Père en tout et partout comme Jésus et Marie l'on fait !

A.G. — *Comment conçois-tu ce voeu comme prêtre et victime que tu as fait, il y a quelque temps?*

G.F. — C'est l'aboutissement de toute ma vie. Je me souviens de ceci: depuis l'âge de quatre ans j'ai toujours éprouvé une souffrance dans mon corps. Désormais Jésus m'invite à m'identifier à Lui comme prêtre et victime, dans l'épanouissement parfait du sacerdoce royal. Jésus m'a fait saisir que la Sainte Messe n'est pas d'abord un repas, mais c'est l'ultime sacrifice de Jésus mourant sur la croix pour le salut du monde. Au moment de la consécration, je m'unis à l'Agneau Immolé. L'Eucharistie est la source de mes forces.

A.G. — *Ainsi continue ta vie?*

G.F. — Tu le sais. Tu es bien placé pour l'observer.

A.G. — *C'est bien, Georgette, merci!*

Les plaies de Jésus

A.G. — *Tu sais, Georgette, j'ai l'impression que chacune de mes questions est une blessure à ton cœur. Mais dis-moi quand même quelque chose des plaies de Jésus cachées dans ton corps. Depuis quand d'abord les portes-tu?*

G.F. — C'est en 1950 que Jésus m'a fait comprendre que je portais Ses Très Saintes Plaies.

A.G. — *Est-ce que tu portes les plaies des mains et des pieds de Jésus?*

G.F. — Oui, je les porte. Le Père me les a données par pure gratuité et je me sens bien indigne de les porter.

A.G. — *À quel endroit précis est situé la douleur des plaies des mains de Jésus?*

G.F. — C'est au poignet que furent enfoncés les clous afin de soutenir le corps de Jésus. C'est là que les douleurs sont les plus aiguës et les plus vives.

A.G. — *Et aux pieds?*

G.F. — Non, aux pieds c'est un peu différent. Quand je suis couchée j'ai toujours les pieds l'un par-dessus l'autre.

A.G. — *Où sont placées les plaies?*

G.F. — Elles sont placées de côté, le pied gauche soutient le pied droit. Quand le Seigneur demande beaucoup de souffrances, c'est Lui qui place les pieds.

A.G. — *Et la couronne d'épines?*

G.F. — Je l'ai reçue le 25 avril 1953. Jésus m'a dit ce jour-là: *Aujourd'hui je dépose ma couronne d'épines sur ta tête.*

A.G. — *As-tu eu de la difficulté à l'accepter?*

G.F. — Non, je ne suis pas digne, mais j'ai accepté que la Volonté de Dieu soit faite.

A.G. — *Est-ce que c'est toujours plus ou moins douloureux?*

G.F. — C'est beaucoup plus douloureux le vendredi, pour deux raisons: parce que c'est le jour de la mort du Seigneur, et l'autre raison dépend de ce que Jésus demande.

A.G. — *Est-ce que les médecins ont cherché d'où venaient les douleurs?*

G.F. — Oui, mais les médecins ne trouvaient rien! Quand le Seigneur se choisit une âme victime, ni les médecins, ni la science ne peuvent découvrir l'origine et l'intensité des douleurs et les soigner. Jésus m'a dit: *C'est seulement après ta mort qu'on pourra découvrir les douleurs que tu as portées.*

A.G. — *Qu'en est-il de la plaie du cœur transpercé de Jésus?*

G.F. — La plaie du Cœur de Jésus est une douleur persistante qui ne cesse jamais, mais la plaie de l'épaule est la plus douloureuse.

A.G. — *On ne parle jamais de cette plaie de l'épaule.*

G.F. — Je sais, mais précisément cette sixième plaie que Jésus a portée est d'ailleurs très souffrante. C'est Jésus qui m'a indiqué que la plaie de l'épaule fut la plus souffrante de toutes par le portement de la croix. C'est après bien des recherches que mon directeur spirituel, le Père Joseph Gamache, S.J., découvrit que saint Bernard avait eu la révélation de la sixième plaie située sur l'épaule. *J'eus, en portant la croix, une plaie profonde de trois doigts et trois os découverts sur l'épaule.*

A.G. — *As-tu demandé sur quelle épaule était située cette plaie?*

G.F. — Oui je l'ai demandé à Jésus et Il m'a répondu: *Je la portais sur mon épaule gauche (côté du cœur) afin de laisser ma main droite libre pour bénir une dernière fois mon peuple.*

A.G. — *Ajouterais-tu autres choses à ces réponses?*

G.F. — Oui, je dirais que les souffrances intérieures de Jésus dépassaient les souffrances physiques. *Mon âme est triste à en mourir,* a-t-Il soupiré. Il vivait l'agonie de l'âme, du cœur, et de l'esprit. Le cœur de Jésus a été blessé par l'ingratitude des hommes. Jésus est mort de trop aimer! Son Cœur a été ouvert par l'amour avant même que le soldat le transperce pour vérifier sa mort. Ce n'était qu'un geste symbolique.

A.G. — *Merci, Georgette, pour ces découvertes.*

L'Alliance

A.G. — *Georgette, tu m'as déjà parlé d'une marque de Dieu sur ton corps. Pourrais-tu me parler de cette manifestation de Dieu envers toi?*

G.F. — Je t'ai déjà dit que ce n'était pas facile pour moi de répondre à tes questions mais je l'ai promis. Oui, c'est le 2 février 1982, en la fête de la Purification que le Seigneur m'a demandé d'offrir plus de souffrances pour le Saint-Père, les âmes consacrées, et d'accepter de porter les péchés de l'humanité.

A.G. — *Que s'est-il produit ensuite?*

G.F. — J'ai tout accepté, mais je ne portais que les souffrances habituelles. Je me trouvais et me trouve toujours indigne de porter les péchés de l'humanité alors que je suis une pécheresse moi-même.

A.G. — *Et alors?*

G.F. — C'est le Vendredi Saint 1982. J'ai eu beaucoup plus de souffrances. C'est dans ces grandes douleurs que Dieu se manifestait. Par sa grâce je comprenais l'importance de ce que Dieu m'avait demandé, le 2 février 1982.

A.G. — *Ensuite?*

G.F. — Le 1er juillet 1982, en la Fête du Précieux Sang, Dieu se manifestait pour la troisième fois en renouvelant sa demande.

A.G. — *Comment? En paroles ou par signes?*

G.F. — Dieu manifestait sa demande par une douleur aiguë au côté droit en laissant une marque dans ma chair formant le chiffre deux. En regardant, je vis une tache rouge ayant la forme d'un deux où le sang circulait normalement.

A.G. — *As-tu parlé de cette manifestation de Dieu à ton directeur spirituel?*

G.F. — Oui, je lui ai confié ce qui m'arrivait.

A.G. — *Et ton directeur?*

G.F. — C'est alors que mon directeur me demanda si je savais la signification de ce qui m'arrivait. Comme je lui disais non pour une seconde fois, Jésus intervint: *Tu répondras à ton directeur: Maintenant nous sommes deux dans une même chair.*

A.G. — *As-tu dit cela à ton directeur?*

G.F. — Oui, je devais le dire.

A.G. — *Et lui?*

G.F. — Alors mon directeur me répondit: « Si c'est cela, vous n'avez pas fini de souffrir ! » Et il ajouta: « Remerciez le Seigneur, c'est une grande grâce que vous avez reçue. »

A.G. — *Après cela est-ce qu'il y a eu de plus grandes souffrances?*

G.F. — Oui, elles se manifestaient du côté droit, mais uniquement lorsqu'il y avait une intention bien spécifique.

A.G. — *Est-ce que ton directeur exigea une preuve de cette manifestation?*

G.F. — Oui, il me demanda de faire vérifier par un médecin et d'en prendre une photographie.

A.G. — *Est-ce que le médecin fit la vérification demandée?*

G.F. — Oui le médecin vérifia. Il fallait qu'il s'agenouille pour mieux voir. Jésus me faisait savoir que le médecin devait se placer à genoux afin de voir le signe de Dieu incrusté dans ma chair. Craignant mon imagination je n'osais lui demander de s'agenouiller. Alors je demandai à Jésus de lui inspirer de se mettre à genoux. Au moment où je lui demandais, il s'agenouilla et il vit parfaitement la forme du deux.

A.G. — *Quelle fut sa réaction?*

G.F. — C'est avec émerveillement qu'il l'observa avec une loupe en me disant: «Comme médecin, je n'ai jamais vu un signe pareil. C'est incroyable, ce signe ressemble à un néon lumineux où l'on voit circuler le sang qui est parfaitement synchronisé avec les battements du cœur, et pourtant il n'est relié à aucun organe adjacent. Je le vois très bien même si le chiffre est tout petit.»

A.G. — *Telle que demandée par le directeur, est-ce qu'une photographie fut prise?*

G.F. — Oui, des photographies furent prises, mais sans aucun résultat. Ayant parlé à mon directeur, il me dit: «Je vous demande d'essayer une dernière fois, si la photo n'est pas réussie, c'est une indication que Dieu ne veut pas que le signe marqué dans votre chair soit vu. C'est donc la dernière autorisation que je vous donne.»

A.G. — *Est-ce que la dernière photographie donna un résultat?*

G.F. — Oui, la photographie fut prise par un autre médecin qui utilisa une caméra d'hôpital. Cette caméra était munie d'une lentille d'agrandissement. Cette photo fut une réussite parfaite, mais ce médecin aussi dut prendre la photographie à genoux.

A.G. — *Pourquoi doivent-ils s'agenouiller pour photographier?*

G.F. — Par respect pour la signification de ce signe: DEUX DANS UNE MÊME CHAIR.

A.G. — *Que révélait la photographie?*

G.F. — Elle révélait très clairement la présence de sang dans le chiffre deux. Ce chiffre est composé de sept points rouges.

A.G. — *Quelle est la signification des sept points rouges?*

G.F. — Ils signifient: les sept dons de l'Esprit Saint. Maintenant que plusieurs mois ont passé, Jésus m'a dit: *Dorénavant le chiffre deux devra s'appeler l'ALLIANCE.*

A.G. — *Pourquoi Jésus le voulait-Il ainsi?*

G.F. — Parce que cette ALLIANCE manifeste l'intimité de Dieu avec l'âme et qu'elle signifie également une identification plus grande à la souffrance du Christ crucifié. On ne pourra jamais imaginer jusqu'à quel point Dieu nous aime.

A.G. — *Depuis combien de temps as-tu cette ALLIANCE?*

G.F. — Il y a eu cinq ans le 1er juillet 1987 que l'ALLIANCE, pourtant fragile, demeure incrustée dans ma chair.

A.G. — *Le premier juillet est la Fête du Précieux-Sang!*

G.F. — Oui, et Jésus me signifie que les souffrances que je porte doivent m'identifier au Christ, prêtre et victime, pour aider le Saint-Père, les âmes consacrées, l'Église et l'humanité tout entière.

A.G. — *Est-ce que tu as posé d'autres questions à Jésus au sujet de l'ALLIANCE?*

G.F. — Jésus m'a fait comprendre de ne pas poser de questions qui relèvent de la simple curiosité. Mais il m'a dit que cette grâce de l'ALLIANCE est un fait unique dans l'univers.

A.G. — *Je te remercie, Georgette, de m'avoir dévoilé cela.*

La transfixion

A.G. — *Georgette, un jour pendant la célébration de l'Eucharistie au moment où tu as communié au Sang Précieux du Christ, j'ai vu ton visage rempli de souffrances et tu avais les mains serrées sur ton cœur. Qu'est-ce qui s'est passé?*

G.F. — J'ai eu une vive douleur au cœur.

A.G. — *Est-ce que cela arrive souvent?*

G.F. — Oui, cela se produit souvent durant le jour, parfois durant la nuit et également quand je travaille.

A.G. — *À quoi ressemble cette vive douleur?*

G.F. — C'est comme une blessure profonde.

A.G. — *Peux-tu me décrire cette blessure?*

G.F. — C'est comme une flèche de feu très brûlante qui transperce le cœur. La douleur est d'une très grande intensité et augmente quand cette flèche ou ce dard est retiré.

A.G. — *Que se passe-t-il alors?*

G.F. — Je sens que mon âme ne doit jamais cesser de remercier pendant que Jésus blesse mon cœur. Je Le remercie pour cette souffrance et je l'offre. À ce moment-là, il y a une très grande joie intérieure en mon âme. Les plus grandes joies du monde ne peuvent se comparer à ce que je ressens en moi.

A.G. — *Pour qui offres-tu cette souffrance?*

G.F. — J'offre continuellement au Père cette souffrance indescriptible en union avec Jésus et Marie pour le Saint-Père, les âmes consacrées et l'Église tout entière.

A.G. — *Est-ce que tu désires cette blessure?*

G.F. — Oui je la désire, mais je ne la demande pas. Je veux me protéger de toute recherche personnelle. Jésus sait qu'au plus profond de moi-même je la désire. Cette blessure me rend plus semblable à Jésus crucifié.

A.G. — *Comment cela? Pourquoi te rend-elle plus semblable à Jésus crucifié?*

G.F. — Parce que j'unis ma volonté à celle du Père comme Jésus l'a fait durant toute sa vie, mais surtout sur la croix.

A.G. — *Y a-t-il des moments où ces blessures sont plus douloureuses et plus souffrantes?*

G.F. — Le vendredi, et quand Dieu le Père demande davantage de souffrances pour les besoins de l'Église.

A.G. — *Est-ce que le Père te demande d'offrir ces blessures pour des personnes précises?*

G.F. — Oui, pour le Saint-Père, les âmes consacrées, les prêtres de Medjugorje, les voyants et les voyantes afin qu'ils soient protégés de leurs ennemis visibles et invisibles, pour les évêques de la Yougoslavie ainsi que pour tous ceux et celles qui se recommandent à nos prières.

A.G. — *Est-ce que le Père Éternel demande tous les jours des prières pour les apparitions de Medjugorje?*

G.F. — Oui, et je m'en fais un devoir. Depuis que je connais Medjugorje, je prie et j'offre mes souffrances pour que l'authenticité des apparitions soit reconnue le plus rapidement possible.

A.G. — *Offres-tu ces blessures au cœur à d'autres intentions?*

G.F. — Oui, je les offre afin que le message de Marie, Reine de la Paix, soit répandu à travers le monde entier dans son authenticité. Le message de Marie apporte la paix aux âmes et ne vient pas les troubler. La Très Sainte Vierge Marie ne trouble jamais les âmes. Elle veut toujours les conduire au Cœur de Jésus et au Cœur du Père.

A.G. — *Est-ce que ces blessures sont d'abord une grâce pour toi?*

G.F. — Oui, c'est une très grande grâce! Mais il ne faut pas oublier que Jésus a donné ses très saintes plaies au monde, et c'est par ces plaies que nous sommes guéris.

Pour moi, je partage ces blessures au cœur avec les âmes que Dieu me confie spécialement les prêtres et les âmes consacrées.

A.G. — *Est-ce que tu connais la prière de saint Jean de la Croix concernant ces blessures au cœur?*

G.F. — Non, mais j'aimerais la connaître afin de la réciter.

A.G. — *Elle est très belle! La voici:*

> *«Seigneur blesse-moi d'une blessure d'amour qui ne peut être guérie qu'en étant blessée à nouveau.»*

G.F. — Merci. Saint Jean de la Croix l'a très bien dite. Désormais je pourrai la prier.

Visions

A.G. — *Je sais que tu n'aimes pas parler de certaines faveurs reçues, mais j'ai une obligation morale dans la rédaction de ce témoignage et je dois te poser d'autres questions. Georgette, est-ce que tu as déjà été favorisée de VISIONS?*

G.F. — J'ai eu quelques fois des visions intérieures mais ces moments de ma vie m'apportèrent toujours de très grandes souffrances.

A.G. — *Pourquoi ces visions intérieures te causent-elles de la souffrance?*

G.F. — Quand j'ai vu Jésus crucifié, portant sa couronne d'épines, j'ai pleuré sur mes nombreux péchés, sur les péchés du monde entier.

A.G. — *Veux-tu me parler davantage de cette vision?*

G.F. — Cette vision intérieure est pour me demander de m'unir davantage à Jésus crucifié et de partager les souffrances de Jésus et les douleurs de Marie.

A.G. — *As-tu vu la Vierge Marie dans une vision?*

G.F. — Oui, je L'ai vue dans une vision intérieure. Je L'ai vue pleurant à cause de ses prêtres, ses fils de prédilection. Cela ne peut se décrire. C'est comme une image qui s'imprime dans l'âme. On ne peut jamais l'oublier.

A.G. — *Depuis que tu as entendu parler de Medjugorje, as-tu eu des visions intérieures de la Vierge Marie concernant ces apparitions?*

G.F. — Oui, un jour après avoir prié pour que les apparitions soient reconnues et que les obstacles disparaissent, j'ai vu la Vierge Marie pleurer.

A.G. — *Qu'as-tu ressenti?*

G.F. — J'ai éprouvé de la peine. J'avais la conviction qu'Elle pleurait face à la situation de Medjugorje.

A.G. — *Peut-on s'imaginer l'entendre pleurer?*

G.F. — Ce n'est pas l'imagination. Quand je L'entends pleurer à cause de ses âmes consacrées, *ses pleurs sont des sanglots, c'est comme une douleur physique.*

A.G. — *Dans le cas de Medjugorje, est-ce la même chose?*

G.F. — Non, dans le cas de Medjugorje, je n'entendais pas *comme des sanglots.* Elle pleurait abondamment, mais dans le silence et la noblesse d'une mère et d'une Reine.

A.G. — *Peux-tu m'expliquer la teneur des visions qui ont un lien avec Medjugorje?*

G.F. — Dans ces visions, je vois la Vierge Marie. Elle sollicite des prières pour les prêtres de Medjugorje, mais aussi pour les prêtres qui visitent cet endroit béni, les pèlerins, les voyants.

C'est pour qu'ils demeurent fidèles à ce que la Vierge Marie leur demande.

A.G. — *Y a-t-il d'autres demandes?*

G.F. — Oui, lors de ces visions, une demande de la Vierge Marie est très explicite et est demandée avec une grande insistance. Elle demande de prier pour que l'Église reconnaisse, par la puissance de l'Esprit Saint, l'authenticité des apparitions à Medjugorje, pour la gloire du Père et celle de Jésus.

A.G. — *As-tu autre chose à ajouter à ce que tu viens de me dire?*

G.F. — Oui, les demandes de Marie impliquent la FIDÉLITÉ des villageois à la PRIÈRE, à l'EUCHARISTIE, au JEÛNE, au CHAPELET, et au SACREMENT DU PARDON. Cette fidélité ne peut que susciter chez les pèlerins une fidélité plus grande à ce que Marie demande.

A.G. — *As-tu eu d'autres visions?*

G.F. — J'ai vu le Saint Père Jean-Paul II vivre une très grande solitude. Je me rappelle que le jour de son élection, au moment où Il disait au monde: « N'ayez pas peur », une compagne m'a dit: « Ce Pape polonais qui est jeune et d'une santé exceptionnelle vivra longtemps. » Mais j'ai entendu distinctement dans mon cœur et à l'oreille: « Il est jeune, mais les hommes en feront un vieillard prématuré. »

A.G. — *Quelle est la teneur des autres visions?*

G.F. — J'ai déjà répondu! C'est pour le Saint-Père Jean-Paul II. La Vierge Marie veut me signifier de prier davantage pour lui à cause de la grande responsabilité qu'il porte: celle de conduire le peuple de Dieu vers le Père.

A.G. — *Est-ce que les visions intérieures ont d'autres buts?*

G.F. — Oui, par ces visions, la Vierge Marie me demande de prier pour certains événements qui se passent dans le monde. Elle me demande également de prier pour les personnes qui sont victimes des fléaux de la terre, de la méchanceté des hommes, de l'injustice, de la violence. Tous ces maux prennent racine dans l'orgueil.

Il nous faut demander au Père Éternel, avec humilité, de changer nos cœurs par un plus grand amour de Dieu et du prochain. Cette intercession doit toujours se faire dans la foi et la confiance que notre prière peut être exaucée.

A.G. — *Georgette, ces confidences que tu nous fais nous invitent à la persévérance dans la prière. L'humanité a besoin de cet oxygène qui la renouvellera. Je t'en remercie!*

Don des langues

G.G. — *Georgette, je sais que mon frère Armand t'a suffisamment «torturée» par ses questions. Malgré tout, moi aussi j'aimerais t'en poser quelques-unes. Je m'aperçois que les gens te recherchent beaucoup. Pourquoi?*

G.F. — Ils viennent demander conseil ou une aide quelconque.

G.G. — *Les acceptes-tu volontiers?*

G.F. — Oui. Jésus m'a dit: *Accepte tous les gens que je t'enverrai. Reçois-les comme si c'était Moi.*

G.G. — *Tu me dis que tu les aides. De quelle façon?*

G.F. — L'Esprit Saint ne m'inspire qu'en présence d'une personne, je commence à raconter un fait dans lequel la personne concernée se reconnaît. Ce que Dieu veut que je décrive est souvent une situation identique au problème présenté.

G.G. — *Est-ce qu'on peut dire que tu as le pouvoir de lire dans les âmes?*

G.F. — Non. L'Esprit Saint ne me dit pas l'état des âmes. Cependant, Il peut me faire ressentir l'état d'âme, soit la peine, l'angoisse, la peur, l'inquiétude. Tout cela dépend du manque de foi, d'abandon à la Volonté du Père. Dieu peut permettre aussi que ces états d'âme soient une purification. Alors l'Esprit Saint me l'indique. Il me le dit. Satan peut suggérer, non pas inspirer. D'où la nécessité du discernement. Ce discernement qui est pur don de Dieu m'est donné pour voir clair dans la situation.

G.G. — *Pries-tu durant ces rencontres avec les gens?*

G.F. — Oui. Pendant que je parle à ces personnes, mon cœur demeure en état de prière; mon âme peut s'élever vers Dieu tout en restant attentive au problème dont on me parle.

G.G. — *Peux-tu dire que tu vis deux modes de présence?*

G.F. — Oui, l'un invisible, c'est la présence à l'Esprit Saint. L'autre visible, c'est la présence à la personne. C'est comme la Présence réelle. Je regarde l'hostie, c'est une présence visible sur le plan humain, c'est une présence réelle sur le plan surnaturel. Cela ne s'explique qu'au niveau de la foi.

G.G. — *Quelles sont les personnes qui le plus souvent viennent te voir?*

G.F. — Toutes sortes de gens. Il y a des pauvres, des riches, des gens instruits, des ignorants. Mais souvent ce sont des gens délaissés qui se cherchent et cherchent Dieu sans le savoir. Il y a aussi des âmes consacrées. Mais j'aime surtout les enfants. Je me sens à l'aise avec eux pour parler de Jésus et de Marie.

G.G. — *Pourquoi aimes-tu mieux les enfants?*

G.F. — Parce qu'ils sont simples. Ils aiment entendre parler de Dieu. Ils cherchent toujours à savoir. Alors lorsqu'on parle de Jésus, de Marie, de la Trinité, ils les accueillent sans discussion car ils n'ont pas d'orgueil. Dieu ne peut refuser de combler leurs prières. L'Esprit Saint agit dans ces cœurs et les conduit à vouloir mieux connaître Jésus et Marie. Quand tu expliques l'amour de Dieu, l'amour de Jésus pour eux, ils le saisissent très bien. Ils se sentent réellement aimés et heureux. On voit là, l'importance de l'éducation religieuse que les parents doivent transmettre dès le très jeune âge à leurs enfants.

G.G. — *Reçois-tu souvent des prêtres?*

G.F. — Oui. Jésus m'a dit de les accueillir avec un cœur ouvert et une très grande charité. *Reçois-les par l'amour que je dépose en toi.*

G.G. — *Qui vois-tu dans les prêtres que tu reçois?*

G.F. — Je vois le représentant de Dieu. Mais souvent je le vois comme une âme blessée qui a besoin d'aide, surtout de prières. Chaque jour je les dépose dans les bras de Marie, Reine de la Paix, afin qu'ils puissent retrouver la paix de l'âme, du cœur et de l'esprit, et ainsi découvrir la FOI qu'ils doivent avoir dans leur SACERDOCE.

G.G. — *Quand tes visiteurs ne parlent pas le français, peux-tu les recevoir?*

G.F. — Oui, car Jésus m'aide. Il y a parfois des interprètes, mais s'ils n'ont pas bien rendu ou traduit leurs questions, Jésus me dit exactement ce que je dois comprendre.

G.G. — *Donne-moi un exemple.*

G.F. — Un jour j'ai reçu une dame d'expression espagnole et l'interprète n'était pas arrivé. Quand elle me parlait en espagnol, Jésus me la faisait comprendre en français. Lorsque moi je lui répondais en français, elle me comprenait en espagnol. Quand l'interprète est arrivé, la rencontre était terminée et il se posait la question: «Pourquoi m'avez-vous fait demander?»

G.G. — *Est-ce que cela arrive dans d'autres langues?*

G.F. — Oui, comme cela se produit en espagnol. Jésus m'aiderait dans d'autres langues.

G.G. — *C'est pour toi, Georgette, un don particulier!*

G.F. — Je suis toujours reconnaissante à Dieu pour les dons que je reçois en pure gratuité. Les rencontres de ce genre, qu'Il me permet, apportent toujours de bons résultats, parce qu'Il est là pour nous aider.

G.G. — *Merci à Dieu.*

La langue croate et le chant «Mirtha ô Mirtha»

G.G. — *Nous savons, Georgette, que tu ne parles pas d'autres langues que le français. Mais récites-tu parfois des prières en d'autres langues que le français?*

G.F. — Oui, je récite des prières en latin, comme le «Pater», l'«Ave Maria», le «Gloria Patri».

G.G. — *Est-ce que tu chantes en latin?*

G.F. — Oui. Souvent dans l'action de grâce, après la Sainte Eucharistie, je chante le «Magnificat», le «Salve Regina», l'«Ave Maria».

G.G. — *Ne t'arrive-t-il pas de répondre à des prières ou de chanter dans une langue qui t'est inconnue?*

G.F. — Oui, cela se produit souvent depuis trois ans. Tu es avec moi et parfois avec ton frère le Père Armand. Vous m'avez dit que je répondais dans une autre langue au «Je vous salue Marie» et à d'autres prières.

G.G. — *C'est vrai, j'en suis témoin et le Père Armand aussi. Mais peux-tu dire en quelle langue tu récites ou chantes ces prières?*

G.F. — Non. Tout ce que je puis dire, c'est que cela est indépendant de ma volonté. Le Seigneur me conduit à répondre ou à chanter dans une autre langue. C'est comme une voix étrangère à la mienne. J'entends les mots intérieurement et à mon oreille. Je les dis ou je les chante comme je les entends.

G.G. — *As-tu déjà demandé au Père Éternel en quelle langue tu pries ou chantes quand cela se manifeste?*

G.F. — Oui. Ton frère le Père Armand m'a demandé de poser la question au Père Éternel, alors qu'il se préparait à célébrer la Sainte Eucharistie.

G.G. — *Peux-tu dire quand et comment la question fut posée?*

G.F. — C'est le 24 janvier 1986. Nous prions à chaque Eucharistie pour que les apparitions de la Vierge Marie à Medjugorje soient reconnues. Alors nous avons pensé que c'était du croate. La question fut donc formulée ainsi: « Père Très Saint, pourquoi permets-tu à ta servante de prier en croate? »

G.G. — *Le Père Éternel a-t-Il donné une réponse?*

G.F. — Oui, la réponse du Père Éternel fut très claire au cœur et à l'oreille. Il m'a répondu: *Offrez en sacrifice le fait de ne pas avoir de réponse immédiatement. Ce sacrifice, offrez-le pour aider Vicka à passer à travers l'épreuve qui lui est demandée. Offrez-le également pour aider les autres voyants dans le cheminement de leur foi.*

G.G. — *Comment as-tu compris cette réponse?*

G.F. — J'ai compris que le Père Éternel nous donnera une réponse à l'heure fixée par Lui.

G.G. — *As-tu eu cette réponse?*

G.F. — Oui, nous l'avons eue, le 26 février 1986.

G.G. — *Quelle est la réponse du Père Éternel?*

G.F. — Le Père Éternel donna une réponse qui porte d'abord sur un chant. Souvent ce chant monte en mon cœur pendant l'action de grâce. Les premiers mots sont MIRTHA Ô MIRTHA.

G.G. — *Qu'a-t-Il dit concernant ce chant?*

G.F. — Il a dit: *Le chant MIRTHA Ô MIRTHA qui peut être aussi une PRIÈRE RÉCITÉE*[1] *est en croate.*

G.G. — *J'aimerais t'interroger davantage sur ce chant MIRTHA Ô MIRTHA », mais revenons aux prières récitées. As-tu demandé au Père Éternel quelle langue est utilisée dans les prières récitées et les prières spontanées.*

---

1. Voir Annexe 1, page 88.

G.F. — Oui, c'est vendredi, le 28 février 1986, durant l'Eucharistie que le Père Éternel me donna la réponse.

G.G. — *Quelle est cette réponse?*

G.F. — Le Père Éternel m'a dit: *Les prières que tu récites sont en Araméen.* Et moi je Lui ai répondu: «Même le 'Je vous salue Marie'? Et le Père Éternel a répondu: *Surtout le «Je vous salue Marie».*

G.G. — *Pour quelle raison?*

G.F. — Pour rendre hommage à la Reine de la Paix, notre Mère, Mère de l'Église.

G.G. — *Quelles sont les prières récitées le plus fréquemment en Araméen?*

G.F. — Ce sont le «Notre Père», le «Je vous salue Marie», le «Gloire au Père», le «Je crois en Dieu».

G.G. — *Quand tu es seule, pries-tu aussi en Araméen?*

G.F. — Je ne sais pas, mais parfois je prie dans une langue étrangère que je ne connais pas.

G.G. — *J'aimerais que tu me rappelles ce qui s'est passé concernant les prières.*

G.F. — Oui, tu te souviens, un jour tu avais apporté une brochure dans laquelle il y avait des prières en croate afin de vérifier à mon insu si je priais en croate. Nous avons commencé à prier. Dès le début le Seigneur m'a avertie de tes intentions et m'a demandé de te reprendre. Je l'ai fait et tu as demandé pardon au Père Éternel.

G.G. — *Merci de ce rappel très significatif! Maintenant, revenons aux prières. Nous savons pourquoi le Père Éternel te fait réciter le «Je vous salue Marie» en Araméen. Tu as répondu à cela. Mais pour les autres prières, est-ce la même raison?*

G.F. — Non, le Père Éternel m'a dit: *C'est en réparation des prières qui sont déformées dans l'Église. C'est pourquoi je te* *demande de réciter ces prières en réparation de la blessure faite au cœur de Jésus et de Marie.*

G.G. — *Le Père Éternel a-t-Il donné le pourquoi du chant en croate MIRTHA Ô MIRTHA et le pourquoi des prières en Araméen?*

G.F. — Oui, et la réponse est très belle. Le chant en CROATE rend hommage au Père Éternel par Marie. Les prières en ARAMÉEN rendent hommage à JÉSUS et à MARIE.

G.G. — *Revenons au chant MIRTHA Ô MIRTHA. Le 26 février 1986, le Père Éternel t'a dit que ce chant est en croate. Est-ce que tu le chantes quand tu es seule?*

G.F. — Oui, parfois je le chante quand je suis seule, mais c'est surtout quand tu es ici pour la messe et l'action de grâce ou avec le Père Armand. Cela se produit davantage quand vous êtes tous les deux pour la célébration de la Sainte Eucharistie et l'action de grâce.

G.G. — *Comment ce chant t'a-t-il été donné?*

G.F. — Je l'entends au niveau du cœur et de l'oreille. J'entends les paroles et je les chante comme je les entends. Mais c'est évident que sans l'aide de la Vierge Marie, je ne pourrais rien chanter. Je ne suis qu'un instrument bien pauvre dont Elle veut bien se servir.

G.G. — *Comment expliques-tu l'aide de la Vierge Marie? Comment la perçois-tu?*

G.F. — Quand je considère ma maladie (oppression, angine, infection pulmonaire, vertige, etc...) mon état d'extrême faiblesse, il est physiquement impossible que je chante. Alors quand je le fais, c'est la Vierge Marie qui m'aide à chanter. Je n'ai aucun mérite car je perçois nettement cette voix qui chante comme totalement étrangère à moi. Je perçois cette voix très douce, très jeune. Je réalise vraiment que Marie se sert de la pauvre servante que je suis pour louer le Père Éternel.

G.G. — *Pourquoi le Père Éternel a-t-Il donné ce chant?*

G.F. — Il a donné ce chant parce que c'est le chant que la Vierge Marie chante

— pour glorifier le Père Éternel
— et pour donner la paix au monde.

G.G. — *Le Père Éternel a-t-Il dit autre chose sur ce chant?*

G.F. — Oui. Il a dit: *J'offre ce chant ou cette prière comme un DON À LA PAROISSE DE MEDJUGORJE.* Il a demandé que la traduction soit faite en croate par l'auteur du livre «Je vois la Vierge». Et Il a donné clairement le nom de ce prêtre[2].

G.G. — *Quoi d'autre au sujet de ce chant?*

G.F. — Le Père Éternel a dit aussi que ce chant a été donné en RECONNAISSANCE pour tout l'AMOUR, le RESPECT et la FIDÉLITÉ de Medjugorje envers la Reine de la Paix.

G.G. — *Peux-tu résumer ce qui s'est produit après que l'on a reçu la traduction du chant?*

G.F. — Oui, le 24 février 1986 nous avions la traduction complète du chant MIRTHA Ô MIRTHA[3].

Le 25 février 1986, le Père Éternel dit que les prières sont en langue de l'Église primitive.

G.G. — *Qu'en est-il du chant MIRTHA Ô MIRTHA sur le plan musical?*

G.F. — Le 1er mars 1986, l'Esprit Saint m'a inspiré la notation musicale du chant.

G.G. — *Comment cela s'est-il fait?*

G.F. — J'entendais la mélodie alors je l'ai écrite selon le désir du Père Éternel. Depuis trente-trois ans j'avais abandonné la musique. Mais cela me fut facile, car l'Esprit Saint m'indiqua la notation. Le Père Armand était présent.

---

2. Père Janko Bubalo.

3. Voir Annexes 1 et 2, pp. 88 et 89.

G.G. — *Cette mélodie est merveilleuse et nous devons remercier Dieu d'un tel présent. Le Père Éternel dans sa tendresse infinie a créé une alliance entre Medjugorje et Montréal pour la joie de Marie.*

Annexe 1

MIRTHA Ô MIRTHA

Paix, ô douce Paix,
sois notre espérance.
Reine de la Paix,
reçois notre louange.
De tous dangers, protège-nous!
Dans les combats, reste avec nous!
Pour glorifier le Père Éternel,
donne-nous ton amour.
Ô Trinité Sainte, avec notre Mère,
acclamons la miséricorde,
la puissance de Votre Éternel Amour.
Reine de la Paix,
entends la prière de tes enfants de la terre
Te suppliant de leur donner la Paix.

Annexe 2

Il m'apparaît nécessaire d'ajouter un long commentaire pour bien clarifier auprès du lecteur ce qui s'est vécu et se vit encore.

Premièrement

Lorsque l'on parle du chant en croate entendu ici au Canada, plus précisément à Montréal, nous parlons de la mélodie et des paroles. Ce chant que la «Vierge Marie» chante

— pour glorifier le Père Éternel
— et donner la paix au monde,

est chanté par Georgette. Il est en croate comme cela a été dit. Cependant ce croate n'est pas compréhensible. Nous l'avons fait écouter sur enregistrement à deux Yougoslaves d'expression croate. Ils entendent les paroles, mais ils ne comprennent pas ce que cela veut dire. Le Père JANKO BUBALO, alors que nous étions à Medjugorje en octobre 1986, a demandé d'autres explications sur la langue croate de ce chant. Le Père Armand Girard a téléphoné de CITLUCK (Yougoslavie) le 15 octobre 1986 à Georgette Faniel (Montréal, Canada).

La Servante du Père Éternel a répondu: «Le Père Éternel nous a déjà donné une réponse à cela.» Cependant elle pria et le Père Éternel lui redit: *C'est une ancienne langue croate qu'ils ne pour-*

ront pas comprendre, c'est un miracle de l'AMOUR que personne ne pourra comprendre. C'est un chant céleste[1].

Deuxièmement

Nous savons que ce chant est un cadeau du Père Éternel à la paroisse de Medjugorje de deux façons.

La *première façon,* c'est par la TRADUCTION. Le Père Éternel a donné la traduction de ce chant MIRTHA Ô MIRTHA qui devient une prière récitée. C'est la belle prière: «Paix ô douce Paix[2]». Le Père JANKO BUBALO doit traduire cette prière en croate et c'est la prière pour la paix qu'ils réciteront à Medjugorje.

La *deuxième façon,* c'est par la MÉLODIE. Le Père JANKO BUBALO écrit ce qui suit: «En écoutant la mélodie du chant, je me suis aperçu de quelque chose d'EXTRAORDINAIRE, c'est-à-dire que l'AIR de ce chant est IDENTIQUE à celui de mon chant 'Devant ma Madone' composé par un franciscain de BOSNIE, le Père SLAVKO TOPIĆ. La différence se trouve seulement dans la MESURE et les TONS. Sur la suggestion des Pères Girard, la mélodie a été donnée à la fin du livre avec le texte du Père JANKO BUBALO et *la musique* de Georgette Faniel[3].»

Non seulement le texte du Père JANKO BUBALO s'accorde totalement à la mélodie inspirée, mais cette mélodie apporte au texte du Père Bubalo une valeur remarquable.

Qu'une mélodie écrite par deux personnes différentes soit identique, alors qu'elles ne se connaissent pas, ne parlent pas la même langue, qu'elles sont à des milliers de kilomètres de distance, est un signe de l'Amour du Père Éternel. L'intervention de Dieu est manifeste.

Père Guy Girard, s.ss.a.

---

1. VICKA, parlant du Ciel que la Vierge Marie lui a fait voir avec JAKOV, dit: «Les élus étaient heureux, joyeux. Ils chantaient et communiquaient entre eux dans un langage que nous ne comprenions pas» (René Laurentin, *Medjugorje, récit et message des apparitions,* O.E.I.L., 1986, page 91).

2. Voir Annexe 1, page 88.

3. Voir page 222.

Père Éternel

G.G. — *Georgette, nous savons, d'après l'Évangile, que Jésus passait de longs moments en prière dans l'intimité avec le Père Éternel. Dans ma conversation avec toi, je me suis rendu compte qu'il y avait dans ta vie spirituelle un accent très fort sur le Père Éternel. Est-ce que tu pourrais nous parler davantage de ce trésor caché? Mais tout d'abord depuis quand as-tu cette dévotion?*

G.F. — Cette dévotion au Père Éternel est au centre de ma vie. Mais ce n'était pas ainsi dans mon enfance. Cette dévotion viendra plus tard.

G.G. — *Peux-tu expliquer ce cheminement?*

G.F. — Alors que je me préparais à faire ma première communion, j'ai commencé à entendre la voix de Jésus. Je croyais qu'il en était ainsi pour tous les enfants.

G.G. — *Et la voix du Père, tu l'entendais?*

G.F. — Non, c'est beaucoup plus tard.

G.G. — *Entendais-tu la voix de la très Sainte Vierge Marie?*

G.F. — Oui, vers 12 ans environ, j'entendais la voix de Marie. Si Elle me faisait des demandes, c'était pour des intentions précises. Elle me parlait de Jésus, de son amour pour moi et pour chaque être humain. Elle me parlait du Père et de sa miséricorde infinie. Elle me conseillait.

G.G. — *Que te conseillait-Elle?*

G.F. — Elle me demandait d'être attentive à l'Esprit Saint, de La prier dans les moments difficiles. Elle demandait que je corrige mes défauts.

G.G. — *Qu'est-ce qu'Elle te disait pour que tu sois plus attentive à l'Esprit Saint?*

G.F. — Elle me disait de relire souvent tous les dons reçus à la Confirmation. Je relisais dans le catéchisme ce qui concerne les dons de l'Esprit Saint. Je m'efforçais de les mettre en pratique. Par exemple dans les examens à l'école, etc...

G.G. — *Comment La priais-tu dans les moments difficiles?*

G.F. — Intérieurement je m'approchais d'Elle. Je prenais une petite statue de la Vierge. Je la baisais en pleurant parce que j'avais craint de La blesser ou de blesser Jésus.

G.G. — *Pourquoi pleurais-tu?*

G.F. — Je prenais conscience que mes manquements leur faisaient de la peine. Par exemple, si je me querellais avec mes frères et soeurs, j'en demandais pardon à Jésus et Marie et Celle-ci me demandait de m'excuser auprès d'eux. Elle me montrait bien clairement comment me corriger. Quand je retombais à cause de mes défauts, la Vierge Marie me suggérait de faire des sacrifices: privation de dessert, de bonbons, etc... Elle m'invitait souvent à pratiquer la patience.

G.G. — *Tu me disais, il y a quelques instants, que c'est beaucoup plus tard que ta dévotion au Père Éternel s'est développée. Peux-tu me dire le rôle de Marie dans cette dévotion?*

G.F. — La Vierge Marie me conduisait vers le Père Éternel.

G.G. — *De quelle façon?*

G.F. — Elle me faisait accepter la Volonté du Père dans bien des occasions, entre autres l'acceptation de la maladie, le renoncement aux cours de musique à cause de mon invalidité et également aux voyages avec mes parents pour la même raison. C'était préparer mon âme au détachement complet et aussi la rendre plus libre pour la prière et le recueillement.

G.G. — *Quoi encore?*

G.F. — Elle me faisait comprendre l'amour et la miséricorde du Père, car je Le connaissais mal. C'est grâce à Marie que j'ai compris son immense tendresse et sa patience infinie. J'ai toujours demandé à la Sainte Vierge de me conduire au Père comme Elle l'a fait avec Jésus.

G.G. — *Marie t'a conduite au cœur du Père Éternel. Comment s'est-Il manifesté à toi?*

G.F. — Il s'est manifesté par son Fils, Jésus crucifié. C'est en contemplant les plaies de Jésus que j'ai saisi l'amour infini du Père pour chacun de nous, spécialement pour les plus misérables dont je fais partie.

G.G. — *Entendais-tu sa voix?*

G.F. — Oui, mais pas aussi distinctement que maintenant.

G.G. — *Alors maintenant comment l'entends-tu?*

G.F. — J'entends la voix du Père comme une voix qui me reprend avec miséricorde, tendresse, tout en gardant une fermeté paternelle.

G.G. — *Que te disait-Il?*

G.F. — Dès qu'Il s'est présenté, Il m'a parlé de son Fils. Il me parlait comme un Père face à son enfant. Alors je Lui disais: «Père Éternel» ou «Père Très Saint».

G.G. — *Comment en es-tu arrivée à la dévotion au Père Éternel?*

G.F. — C'est en L'écoutant avec attention. Je voyais dans ma vie sa grande miséricorde. C'est ainsi que j'ai commencé à mieux Le connaître, pour mieux Le servir et L'aimer. C'EST LE BUT DE NOTRE EXISTENCE SUR TERRE.

G.G. — *As-tu autre chose à ajouter concernant ta dévotion au Père Éternel?*

G.F. — Oui. Son amour pour nous dépasse pratiquement l'amour qu'Il a pour son Fils, car NOUS, ON A BESOIN DE PURIFICATION ALORS QUE SON FILS DONNAIT SA VIE POUR NOUS PURIFIER. Au plus profond de son Cœur de Père, Il nous aime davantage, malgré nos faiblesses et nos péchés. Plus on se sent misérable, plus Il est près de nous. Le premier pas que nous faisons vers le Père, malgré nos péchés, Le conduit à nous combler. Le plus petit geste de repentir ouvre Son

Cœur à son immense miséricorde, car Il est toujours prêt à nous recevoir et à nous pardonner.

G.G. — *Comment aller concrètement vers le Pardon du Père?*

G.F. — En allant vers Jésus, le divin Prêtre, qui a donné à ceux qui Le représentent le pouvoir de remettre les péchés et ainsi nous confirmer dans le Pardon du Père.

G.G. — *Que t'apporte le Sacrement du Pardon?*

G.F. — Le Sacrement du Pardon m'apporte une grande paix du cœur, de l'âme et de l'esprit parce que je sens la miséricorde du Père, l'amour de Jésus et la paix de l'Esprit Saint. Cette joie intérieure de l'âme nous est donnée dans le Sacrement du Pardon par le prêtre. Que de dépressions et d'angoisses seraient évitées si on recourait à ce sacrement qui guérit fréquemment les blessures physiques (i.e. boisson, drogue, etc.) et morales. Il ne faut pas oublier que la Vierge Marie nous demande de recourir fréquemment à tous les sacrements.

G.G. — *Nous avons parlé de ta dévotion au Père Éternel, de sa miséricorde, de son pardon. Mais passons à autre chose. Est-ce que le Père Éternel t'a parlé de Medjugorje?*

G.F. — Non, le Père Éternel ne m'a pas parlé directement des apparitions de la Vierge à Medjugorje. C'est l'Esprit Saint qui m'inspire la prière que je dois faire pour demander avec foi et confiance que les apparitions de la Vierge Marie à Medjugorje soient reconnues.

G.G. — *Tu pries donc pour que ces apparitions soient reconnues!*

G.F. — Oui, je prie toujours pour glorifier le Père. Alors si les apparitions sont reconnues, la GLOIRE est pour le Père Éternel, la LOUANGE pour la Vierge Marie, Reine de la Paix et pour nous, une grâce et une bénédiction.

G.G. — *Quel est le contenu de ta prière concernant ces apparitions?*

G.F. — Je parle au Père Éternel de Marie, Reine de la Paix.

Je suis convaincue que cela Lui fait plaisir car tout ce qui concerne la Mère de Jésus Le console. Alors je Lui demande de protéger les voyants, les prêtres franciscains, l'évêque, mais surtout de garder intègres les demandes de la Vierge Marie et les messages afin que tout soit présenté dans l'authenticité et la vérité.

G.G. — *Pour toi, comment la Reine de la Paix se présente-t-Elle?*

G.F. — Pour moi, la REINE DE LA PAIX se présente de plus en plus proche. *Marie, c'est la PRÉSENCE INVISIBLE au monde pour DONNER la paix et le Saint-Père Jean-Paul II est la PRÉSENCE VISIBLE pour DEMANDER cette Paix.* C'est par les apparitions de la Vierge Marie que le message de paix est apporté à la terre. Ce message de paix sera porté au monde par le messager de la paix qu'est le Saint-Père Jean-Paul II.

G.G. — *Nous avons parlé de ce que le Père Éternel faisait dans ta vie. Peux-tu préciser davantage?*

G.F. — Tout Lui appartient. C'est peu à peu que cette dévotion a grandi dans mon cœur. Ce cœur, je voulais Lui offrir comme sanctuaire, avec le désir de Lui donner un lieu de prière qui deviendrait une demeure sur terre. Ce rêve se réalisa en juillet 1960 avec la permission de l'évêque du lieu. En effet à cette époque, je fis un lieu de prière dans mon loyer. Ce lieu de prière fut le premier sanctuaire dédié au Père Éternel.

G.G. — *Qu'est-ce qui t'a conduite à dédier ton lieu de prière au Père Éternel?*

G.F. — C'est face aux confidences du Père Éternel que j'ai voulu lui offrir ce sanctuaire. Je savais qu'Il serait consolé par la présence de Jésus et de Marie. Mais c'est un sanctuaire sur terre qui n'est pas public.

G.G. — *Y a-t-il un lieu public dédié au Père Éternel?*

G.F. — Non, le Père m'a dit un jour avec tristesse: *Il n'y a pas sur terre, la moindre petite chapelle dédiée à mon nom.*

G.G. — *Quelle fut ta réaction?*

G.F. — Je fus peinée et j'ai prié afin qu'un jour il y ait un sanctuaire public dédié à son Nom.

G.G. — *Et puis?*

G.F. — Tu le sais mieux que moi. En mai 1986 une chapelle est dédiée à la gloire du Père Éternel. Elle est située dans un hôpital, à Montréal. Elle fut inaugurée, le 9 juin 1986[1].

G.G. — *Ainsi ton désir et la Volonté du Père se sont réalisés.*

G.F. — Oui, merci au Seigneur.

La cour céleste

A.G. — *Un jour, tu m'as dit que tu avais demandé au Père Éternel qu'Il t'envoie un ange de plus que ton Ange Gardien pour t'aider dans une tâche difficile. Qu'a-t-Il répondu?*

G.F. — *Tu n'as qu'à demander le secours de la cour céleste.* Surprise de cette réponse, je Lui répondis à haute voix: «Moi?» Et le Père Éternel répondit: *Oui, parce que si je leur demande de t'aider, ils vont m'obéir!*

A.G. — *As-tu parlé de cela à ton directeur spirituel?*

G.F. — Oui, et il m'a dit: «Ma chère enfant, obéissez et surtout n'hésitez pas à demander de l'aide à la cour céleste.

A.G. — *Crois-tu que nous avons chacun un ange gardien? Même les non-croyants?*

G.F. — Oui, je le crois, parce que nous sommes tous les enfants de Dieu. Et Dieu nous confie tous, croyants ou non-croyants, à notre ange gardien pour qu'il nous protège et nous garde dans l'amour de Dieu.

---

1. Cette chapelle est dans un hôpital de Ville de Laval. L'hôpital qui a pour nom «Cité de la Santé» est situé au 1755, Boulevard René Laennec, Laval (VIMONT), P. Québec, Canada, H7M 3L9.

Marie, Reine de la Paix.
Six ans déjà. Elle apparaît.
Quelle visitation!

L'église de Medjugorje.
L'irrésistible amour de Marie
attire de tous les coins du monde.

Jozo Zovko

Tomislav Vlasić

Slavko Barbarić

Yvan Dugandzić

Tomislav Pervan

Petar Ljubicić

Vicka

Marija

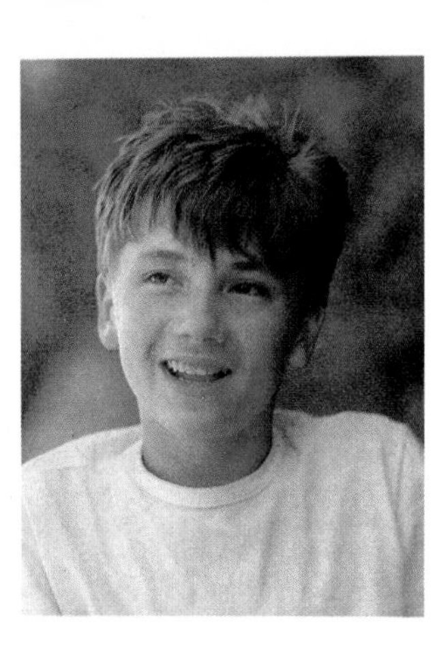

Jakov

Ivan

Mirjana

Ivanka

Extase 1981. Les six voyants à l'écoute de Marie.

Extase 1985. Marija, Ivan, Jakov, Vicka.
« Tu es toute belle, Ô Marie ! »

Vicka, Jakov, Marija, Ivan,
« Tu es acclamée par les anges. »

Vicka, Ivan, Marija,
« Tu es la Reine de la Paix ! »

Colline des apparitions.

Là où Marie a posé ses pieds, les pèlerins s'agenouillent.

Des millions de pèlerins gravissent la montagne de la Croix (540 m).

La montagne de la Croix.
Fête de l'Exaltation de la Sainte Croix (14 septembre 1985).

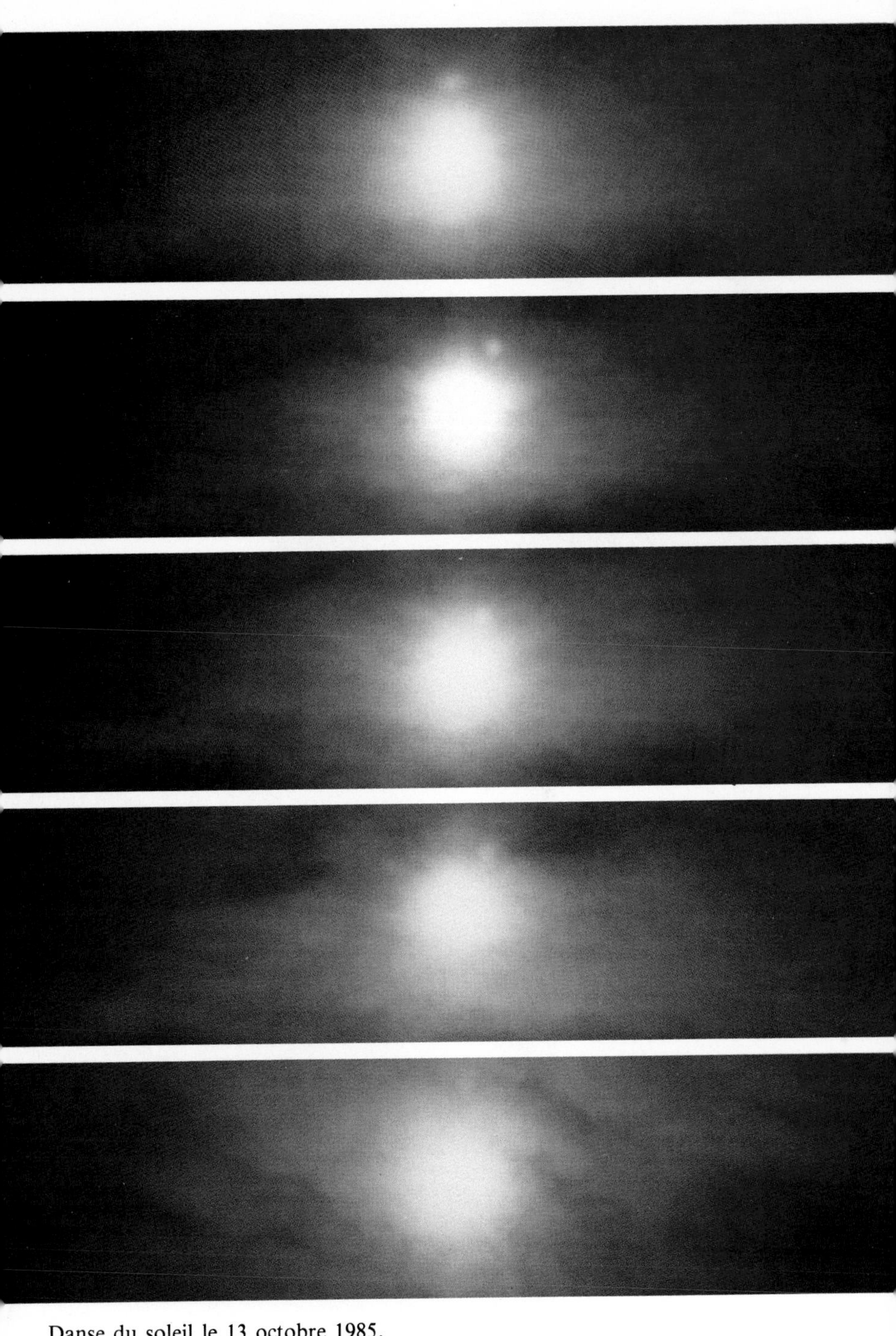

Danse du soleil le 13 octobre 1985.
Séquence des photos: Armand Girard.

Foule au
sacrement du pardon
à Medjugorje.

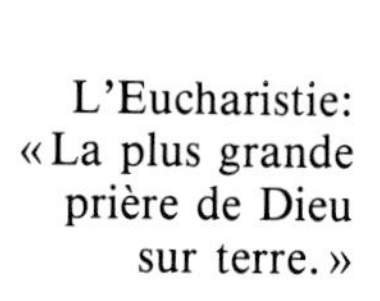

L'Eucharistie:
« La plus grande
prière de Dieu
sur terre. »

Les jeunes voyants
dans leur vie
de tous les jours
à Medjugorje.

Images de la vie quotidienne à Medjugorje.

Helena

Marijana

Celles qui «voient par le cœur».

Diana Basile,
guérie en 1984 de
sclérose en plaques,
avec Mgr Zanić,
évêque de Mostar.

Agnès Heupel,
292e personne guérie
à Medjugorje
(le 13-05-86).
Dossier médical
en cours d'étude.

Père Armand Girard.
Georgette Faniel.
Père Guy Girard.
Pentecôte 1982.

Un lien spirituel se vit entre Medjugorje et Montréal.

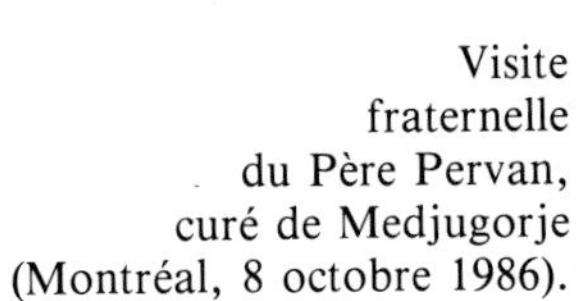

Visite
fraternelle
du Père Pervan,
curé de Medjugorje
(Montréal, 8 octobre 1986).

Dans la beauté de la « chapelle du Père Éternel » s'élèvent des prières d'offrande pour le triomphe de Marie à Medjugorje (Hôpital « Cité de la Santé », Laval, 6 juin 1986).

L'abbé Laurentin et le docteur Ayoub à l'ouverture de la conférence à deux volets, « Marie, Mère du Rédempteur » et « Études scientifiques et médicales sur Medjugorje » (Hôpital Notre-Dame, Montréal, 7 mai 1987).

Père Éternel,

Je crois en Vous.
Je Vous aime.
Je Vous remercie.

Avec Marie,
j'ai confiance
et j'espère tout
de votre amour !

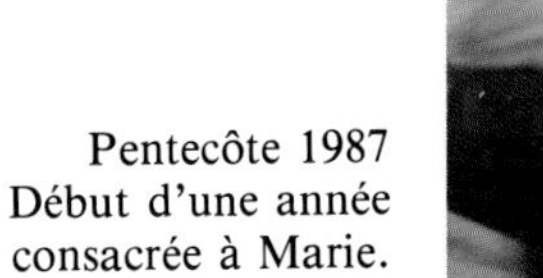

Pentecôte 1987
Début d'une année
consacrée à Marie.

A.G. — *Qu'est-ce qui te fait dire cela?*

G.F. — La Foi en ce que l'Église nous enseigne, mais aussi l'expérience de sentir près de moi, cet ange gardien. C'est difficile à décrire, c'est une certitude de sa présence. C'est quelque chose comme l'aveugle conduit par son chien-guide, il ne le voit pas, mais il sait qu'il est là. C'est aussi évident que cela.

A.G. — *As-tu déjà eu une vision de ton ange gardien?*

G.F. — Non, mais je sens sa présence, il est toujours avec nous. Alors que la «Cour Céleste», il faut la demander avec foi.

A.G. — *Peux-tu me dire ce que la cour céleste a fait pour toi?*

G.F. — Elle m'aide au plan spirituel. Elle m'accompagne dans ma prière surtout au moment de l'Eucharistie, pendant l'offrande. Au moment de la consécration, elle se prosterne et adore le Dieu Trois Fois Saint.

A.G. — *Est-ce que tu as plus que ton Ange Gardien près de toi?*

G.F. — Oui, il y a des anges qui veillent sur l'Alliance, il y a des anges protecteurs qui nous préservent de Satan.

A.G. — *Y a-t-il des anges en particulier pour les prêtres?*

G.F. — Oui, ils ont leur ange gardien, comme créature de Dieu. Mais ils ont aussi un ange tout à fait spécial pour leur sacerdoce car à la consécration ils sont identifiés au Christ.

A.G. — *Peux-tu me donner un exemple vérifiable où la cour céleste t'a aidée?*

G.F. — Quand le Père Éternel m'a demandé de m'agenouiller et de me prosterner, j'ai eu l'aide de la cour céleste. Comme tu sais, je suis invalide depuis trente-deux ans, c'était un geste imprudent sur le plan humain, mais je l'ai fait dans la foi pour obéir au Père Éternel.

A.G. — *As-tu d'autres exemples?*

G.F. — Oui, tu es témoin des expériences, même dans le

domaine matériel, la cour céleste m'aide. Et certaines tâches que j'accomplis ne s'expliquent pas sans une aide spéciale.

A.G. — *N'est-ce pas, Georgette, que nous oublions trop souvent les anges et la cour céleste?*

G.F. — Malheureusement, nous avons tendance à oublier la présence de notre ange gardien et de la cour céleste. Bien souvent, c'est la présence de notre ange gardien qui nous protège. Nous devrions l'invoquer et en faire notre confident et notre protecteur. C'est une consolation de savoir qu'il veille sur nous, qu'il nous soutient dans les épreuves et qu'il nous accompagnera lorsque Dieu nous rappellera à Lui.

A.G. — *As-tu quelque chose à ajouter?*

G.F. — Je conseille d'avoir une dévotion toute spéciale à saint Michel Archange et je souhaiterais que l'Église reprenne la prière à saint Michel Archange après la très Sainte Messe. Ce serait une protection pour toute l'Église.

A.G. — *Fais-tu un lien entre l'Eucharistie et la cour céleste?*

G.F. — Oui, pendant la sainte Eucharistie, le Père Éternel me permet parfois de voir toute la multitude des anges et des saints en état d'adoration autour de l'autel! C'est une invitation au respect, à la dignité que doit avoir celui qui célèbre et ceux qui y participent. L'attitude de respect s'impose donc, devant la Présence réelle. On oublie trop cela, et on blesse le Seigneur par ses irrévérences.

A.G. — *Quelle profonde remarque, Georgette. Merci.*

Combats avec Satan et prosternation

G.G. — *Tu te souviens, nous avions célébré la Sainte Messe, le Père Armand et moi, face à ton lit de malade. Tu devais demeurer couchée, selon l'exigence du médecin.*

G.F. — Oui. J'étais très faible, mais pour l'action de grâce, le Père Éternel me demanda de la faire avec vous dans le petit sanctuaire.

G.G. — *Te souviens-tu de ce qui s'est passé durant l'action de grâce?*

G.F. — Oui. Nous avons commencé à remercier le Père Éternel. Soudainement, je ne pouvais plus continuer à prier. Satan m'en empêchait et je prononçais des paroles indépendamment de ma volonté.

G.G. — *Te souviens-tu de ce que tu disais?*

G.F. — Oui, mais à ce moment-là je ne réalisais pas tout ce qui se passait. Il y a des choses dont je me souviens.

G.G. — *Satan s'attaque-t-il à toi quand tu es seule?*

G.F. — Oui.

G.G. — *Comment?*

G.F. — Il s'attaque à moi surtout dans ma vie spirituelle. Il s'acharne à vouloir me détruire dans ma foi, dans la confiance. Il me fait croire que tout ce que Dieu fait en moi est illusion, que je suis damnée pour l'éternité. Mais il s'attaque aussi à moi quand vous êtes ici. Son agressivité est plus grande parce que vous êtes des âmes consacrées. Quand vous êtes tous les deux, Satan rage davantage et il s'attaque à moi. Dieu permet cela, car par votre sacerdoce vous pouvez le chasser et me protéger.

G.G. — *Tu as dit que Satan déformait ta prière. Peux-tu donner des exemples?*

G.F. — Oui. Par exemple, il me fait dire: «Merci Jésus de permettre à Satan de parcourir le monde pour le bien des âmes» ou «Je me salue Marie, Satan est avec moi» ou encore il maudit la couronne d'épines, l'Alliance, les prêtres, les doigts consacrés.

G.G. — *Quelquefois, il s'attaque à toi physiquement?*

G.F. — Oui. Toi et ton frère, vous le savez bien. Des fois il essaie de m'étouffer. Vous avez déjà vu, vous-même, les empreintes de ses doigts sur mon cou. Mais vous avez toujours réussi à me défendre et à le chasser de moi. Il craint le sacerdoce, surtout lorsque le prêtre porte son étole sur ses épaules.

G.G. — *Comment ces attaques se terminent-elles?*

G.F. — Elles se terminent presque toujours quand vous obligez Satan à s'incliner et à dire le « Je vous salue Marie » en entier. Il rage de tous ces artifices contre le titre de « Reine de la Paix » que vous invoquez, mais il ne peut rien contre Marie.

G.G. — *Dis-moi depuis quand ces attaques de Satan?*

G.F. — Depuis longtemps, mais il rage davantage depuis que le Père Éternel me demande de Lui offrir mes souffrances et de prier pour l'authenticité des apparitions de Medjugorje.

G.G. — *Quand as-tu entendu parler des apparitions de la Vierge à Medjugorje?*

G.F. — J'ai entendu parler des apparitions de la Vierge Marie à Medjugorje par vous deux, il y a environ quatre ans.

G.G. — *Peux-tu me dire qu'est-ce que le Seigneur te demanda concernant ces apparitions?*

G.F. — Le Père Éternel me demanda de prier davantage et d'offrir mes souffrances pour les voyants, pour les prêtres de Medjugorje et en particulier pour l'évêque de Mostar qui porte une lourde responsabilité.

G.G. — *A-t-Il précisé le nom de l'évêque?*

G.F. — Oui, Il m'avait dit son nom.

G.G. — *Bon, maintenant, quelque chose d'autre au sujet de la prosternation. Peux-tu me redire le jour où le Seigneur te demanda explicitement de te prosterner face contre terre?*

G.F. — C'était le Vendredi saint, 5 avril 1985.

G.G. — *Pourquoi a-t-Il demandé cette prosternation?*

G.F. — Le Père Éternel demanda cette prosternation et Il demanda de baiser le plancher en réparation des outrages faits à la sainte Eucharistie. Mais Il la demanda aussi de façon très claire pour aider l'évêque de Mostar, les voyants et les franciscains.

G.G. — *Pourquoi est-ce si difficile pour toi? Et depuis combien d'années ne t'es-tu pas agenouillée?*

G.F. — Depuis trente-deux ans. J'étais malade depuis l'âge de six ans. Un jour, vers l'âge de quarante ans, suite à une immobilité totale de mes membres, les médecins décidèrent de m'opérer à la colonne vertébrale. Cette opération n'avait aucune chance de succès. L'opération eut lieu à l'hôpital Notre-Dame de Montréal. Après l'intervention, les médecins me dirent que je ne pourrais plus marcher, ni m'agenouiller.

Pendant un an et demi, je suis demeurée immobile sur mon lit de malade. Ce n'est qu'après dix-huit mois que je recommençai à marcher, mais avec de très grandes difficultés.

G.G. — *Puisqu'il en est ainsi, as-tu eu peur à la demande que fit le Père Éternel de te prosterner face contre terre et de baiser le sol?*

G.F. — Non. J'aurais eu peur sur le plan humain, car mon invalidité ne me permet pas de m'agenouiller et encore moins de me prosterner. Tout mouvement de ce genre est défendu par le médecin. De plus, souffrant d'angine, c'était une grande imprudence.

G.G. — *Oui, mais tu t'es prosternée?*

G.F. — Oui, mais c'est dans la foi pure que je me suis agenouillée et prosternée en m'abandonnant totalement à la Volonté du Père. J'avais une confiance absolue.

G.G. — *Comment as-tu entendu cette demande de te prosterner?*

G.F. — C'est dans l'obéissance à la voix intérieure que je me suis mise à genoux et que je me suis prosternée.

G.G. — *As-tu fait des prières à ce moment-là?*

G.F. — Oui, bien sûr.

G.G. — *Lesquelles?*

G.F. — J'offrais mes souffrances unies à celles de Jésus et de Marie pour le salut des âmes, pour le Saint-Père Jean-Paul II, pour l'Église universelle. Je les offrais pour Vicka qui devait passer de grandes épreuves, pour les autres voyants, pour les prêtres de Medjugorje et pour l'évêque de Mostar.

G.G. — *Le Père Éternel te demande-t-Il encore cette prosternation?*

G.F. — Oui. Il me la demande en diverses occasions.

G.G. — *Peux-tu citer des exemples?*

G.F. — Par exemple, à l'occasion des voyages du Saint-Père Jean-Paul II; pour le succès du Synode; durant les Jours Saints.

G.G. — *Georgette, je te remercie.*

Vœu dans la nuit de la foi

À la lecture de ce témoignage, certains pourraient croire que la vie de la petite servante du Père est facile! Nous vous disons NON. Aujourd'hui même en ce jour de la Pentecôte (18 mai 1986), Satan attaqua la petite servante du Père en lui disant:

«Vous avez atteint le sommet des faux prophètes,
j'en suis heureux, c'est le résultat
que j'attendais depuis nombre d'années.»

La plus grande partie de la vie de la petite servante du Père s'est passée dans le noir et aujourd'hui, surtout actuellement, elle vit dans la terrible nuit de la foi. Elle vit l'agonie de l'âme, du cœur et de l'esprit. C'est donc dans la foi pure qu'elle doit marcher, car Satan tente de lui faire croire «avec une sorte d'évidence» que toute sa vie est un tissu de mensonges. C'est l'agonie de Jésus au Jardin des Oliviers qu'elle partage.

Il y a quelques semaines, au moment où Jésus-Crucifié se manifestait à elle, Il lui dit avec un regard suppliant:

« Viens et suis-moi. »

À ce moment-là, Georgette Lui répondit: « Viens toi-même me chercher car je suis rivée à ma souffrance et je ne puis bouger. » Et Jésus lui répondit:

« Mes mains sont clouées à la croix
par mes âmes consacrées, les prêtres,
c'est à toi de venir vers moi... »

Mais la nuit se continue toujours...

Satan imite la voix de Jésus ou de Marie et il lui parle de sa damnation si elle ne renonce pas à cette vie de mensonges. On ne peut décrire ces nuits de ténèbres avec des mots humains, car même la mort est une délivrance comparée à ces différents états d'âme.

La petite servante du Père est clouée à la croix avec une densité de souffrances physiques, morales et spirituelles qui sont toujours grandissantes. C'est quotidiennement que Jésus lui demande de vivre dans un état d'immolation afin que la Vierge Marie triomphe dans ce lieu (Medjugorje) où Elle a choisi de visiter ses enfants de la terre. Durant le temps où nous avons interrogé la petite servante du Père Éternel, Satan ne cessa jamais de lui faire croire à sa damnation éternelle. Combien de fois durant la nuit, elle l'entendit lui dire: « Tu es damnée, et tu entraînes ces deux prêtres avec toi... Eux aussi, ils croient à ta vie de mensonges, mais un jour ils maudiront le jour où ils t'ont connue. »

Les suggestions de Satan et tous ses subterfuges font souffrir l'âme plus que mille morts. Mais à travers cet océan de ténèbres, où les vagues successives des abîmes que Satan lui présente semblent vouloir la détruire, Dieu inspira à sa servante de faire le vœu de CROIRE À TOUT CE QUE DIEU FAIT EN ELLE. Et c'est à ce vœu qu'elle doit revenir toujours au milieu des nuits sans lumière. C'est la bouée de sauvetage que Dieu lui a lancée. Malgré tout elle supporte volontiers tout ce que le Père demande d'elle pour devenir le témoin des apparitions de la Vierge Marie à Medjugorje. Lorsque vous lirez ce vœu, je vous demande de prier pour elle afin que la lumière de Dieu triomphe sur les ténèbres.

Vœu dans la nuit de la foi

En présence de la Trinité Sainte,
En présence de Marie Immaculée, Reine de la Paix
et Porte du Ciel,
En présence de la cour céleste,
En présence de Maman Marie-Rose et devant mon Directeur spirituel, le Père Armand Girard, s.ss.a., et de mon conseiller spirituel, le Père Guy Girard, s.ss.a.,
moi, Georgette Faniel, je m'engage par vœu, devant le Sang Précieux de Jésus

À croire tout ce que Dieu fait en moi,
que je ne comprends pas,
mais que j'accepte totalement! par amour!

Je présente ce vœu à Marie Immaculée, Reine de la Paix, pour mourir totalement à moi-même, et pour devenir témoin de l'authenticité des apparitions de la Vierge à Medjugorje.

Ce vœu, je le fais en toute liberté, pour répondre totalement à la Volonté du Père sur moi.

C'est aussi ce vœu que je fais afin de m'identifier totalement au Christ, prêtre et victime pour sauver des âmes, pour renouveler le cœur des prêtres de l'Église entière jusqu'à la fin des siècles, et pour la gloire du Père. Que ce vœu soit une protection pour le Souverain Pontife Jean-Paul II, et pour mes fils spirituels le Père Guy et le Père Armand.

C'est par la Puissance de l'Esprit Saint et de la Vierge Marie que j'accomplirai ce vœu, jusqu'au jour où le Père dans Sa bonté me rappellera à Lui. Que Dieu me vienne en aide!

En Foi de quoi j'ai signé:

Georgette Faniel
Père Armand Girard s.ss.a.
Père Guy Girard ptre s.ss.a.

8 décembre 1985, en la Fête de l'Immaculée Conception.

En terminant ce témoignage qui ne devait jamais être publié, voici les questions que nous nous sommes posés:

Pourquoi choisir d'écrire ce témoignage qui est beaucoup plus lourd que le silence?

Pourquoi la Très Sainte Vierge Marie choisirait-Elle une pauvre canadienne qui a toujours voulu demeurer cachée, et garder dans son cœur le secret du Roi?

Pourquoi deux prêtres canadiens qui connaissent bien les voyants, les prêtres de Medjugorje et ce qui se passe dans ces lieux risqueraient-ils le ridicule et la moquerie en parlant de ces liens mystérieux qui les unissent à ces événements?

Pourquoi ne pas demeurer cachés au lieu de se placer un poids énorme sur les épaules?

Pourquoi ne pas continuer à vivre en ayant la certitude que la prière peut remplacer avantageusement ce témoignage?

RÉPONSE: Tout simplement parce que le chemin que l'Esprit Saint nous indique de prendre est celui qui nous demande le plus de foi et le plus d'abandon à la Très Sainte et Adorable Volonté du Père Éternel.

18 mai 1986, en la fête de la Pentecôte,

Père Armand Girard s.ss.a.
Père Guy Girard s.ss.a.

Annexe 3

À ceux qui ont lu ce témoignage.

Maintenant que vous avez lu ce témoignage, peut-être vous posez-vous bien des questions sur l'audace que nous avons eue de l'écrire. Croyez bien que nous n'aurions pas voulu parler de ces événements pendant la vie terrestre de la petite servante du Père Éternel, mais en conscience, nous nous devions d'écrire ce témoignage.

Cette déclaration, nous l'avons faite en toute liberté d'esprit, ayant obtenu la permission de dire ce que nous jugions utile pour témoigner de l'authenticité des apparitions de la Vierge à Medjugorje.

Beaucoup d'autres faits manifestent l'amour de Dieu envers sa servante. Nous en gardons le silence par respect de ce que Dieu opère en elle.

Tout ce qui est écrit dans ce témoignage est véridique; nous y engageons notre sacerdoce.

Nous n'avons voulu qu'une chose: être des instruments dociles aux inspirations de l'Esprit Saint.

Père Armand Girard, s.ss.a.
Père Guy Girard, s.ss.a.

Témoignage du docteur Fayez Mishriki

Je connais Georgette Faniel depuis plus de trois ans. Mes premières rencontres avec elle furent des échanges spirituels. Je suis médecin en pratique générale. Lorsque j'ai connu des épreuves difficiles dans ma vie, j'ai fait connaissance de cette personne qui m'a aidé à ranimer ma FOI.

En tant que médecin, j'ai pu constater des phénomènes dans la vie de Georgette qui, selon moi, s'expliquent difficilement par la science moderne.

D'abord, je dois dire que Georgette Faniel a un dossier médical extrêmement chargé, ayant subi de multiples interventions chirurgicales pour la colonne, le foie, les intestins, les reins, etc. Elle devint, depuis de nombreuses années, handicapée et condamnée à rester chez elle dans son logement; résultat d'une colonne ankilosée par l'arthrose ainsi que des vertiges sérieux.

Un phénomène très impressionnant est l'appariton d'une lésion cutanée au flanc droit de Georgette. Lors d'un examen plus attentif, j'ai pu voir que cette lésion cutanée a la forme parfaite du chiffre deux et se trouve composée de nombreux petits points rouges bien vascularisés individuellement. La lésion existe depuis le premier juillet 1982, fête du Précieux-Sang de Jésus, et prend une grande signification spirituelle dans la vie de Georgette Faniel. Ce chiffre incrusté TRÈS CLAIREMENT en elle lui est donné comme témoignage que Jésus fait UNION DE DEUX EN UN DANS LA SOUFFRANCE.

Depuis octobre 1985, alors que sa condition médicale s'aggrave, j'ai pu suivre son évolution de plus proche en tant que médecin traitant. Elle présente de l'angine de poitrine accélérée avec essoufflement et fatigue. Cette angine n'est que partiellement contrôlée médicalement. Georgette souffre d'une douleur thoracique TRANSFIXANTE très aiguë qui arrive lorsque le Seigneur lui demande des souffrances pour des âmes ou des événements spéciaux.

Elle est capable de faire le discernement entre cette douleur et celle originant de son angine et voit la douleur disparaître lorsqu'elle l'offre au Seigneur. C'est ainsi que les épreuves physiques, morales et spirituelles de Georgette sont toujours offertes pour l'Église, le Saint-Père, les âmes consacrées, l'humanité et que depuis trois ans s'ajoutent à cette offrande les événements de Medjugorje.

Georgette présente par ailleurs une grande atteinte de l'état général avec nausées, manque d'appétit, de goût pour la nourriture et de douleurs aiguës au flanc droit. De façon étrange, malgré un examen physique très suspect de maladie hépatique et gastrique, la douleur de Georgette passe TOUT À FAIT INAPERÇUE SUR TOUS LES EXAMENS MÉDICAUX qu'elle subit avec difficultés à l'hôpital.

Je veux parler d'un signe qui se fait visible chez Georgette et qui prend une signification et une dimension spirituelle. Elle me dit souvent qu'elle a des maux de tête violents plus sévères le VENDREDI. Elle sait intérieurement que c'est la couronne d'épines de Jésus et me le confie.

J'avoue avoir constaté par moi-même, lors de ces moments, des indentations (empreintes, marques...) sur le front de Georgette, qui disparaissent en temps normal.

Ceci n'est qu'un très bref témoignage de la vie secrète et très mystique de Georgette. Il est important et même primordial de dire que toutes ses souffrances et ses épreuves sont unies intimement à celles de Jésus et ce sont souvent des offrandes pour des âmes qui ont besoin d'aide. Elles sont aussi, TRÈS EXPLICITEMENT, OFFERTES POUR L'AUTHENTICITÉ DES APPARITIONS DE LA TRÈS SAINTE VIERGE À MEDJUGORJE.

Docteur Fayez Mishriki

Témoin de la transfixion

J'ai été témoin d'un phénomène tout à fait unique en compagnie de Georgette Faniel et des Pères Guy et Armand Girard, s.ss.a. Nous étions dans le sanctuaire pour faire l'action de grâce et chanter le SALVE REGINA ainsi que le chant de MIRTHA. Lors du chant de MIRTHA, à ma grande surprise, la voix de Georgette a pris une tonalité très élevée. Elle semblait chanter d'un souffle unique et d'une voix forte et infatigable. Je n'ai observé ni gêne respiratoire, ni trouble d'équilibre, ni lassitude. Tout ceci fut pour moi très surprenant étant donné qu'à mon examen quelques instants plus tôt j'avais trouvé Georgette très affaiblie et manquant de souffle. Auparavant, elle avait eu plusieurs malaises thoraciques de type ANGINE.

Après le chant de MIRTHA ce qui s'est produit ne peut s'expliquer par des termes médicaux ou scientifiques. Georgette a éprouvé subitement une douleur violente à la poitrine. Elle fut tellement saisie par cette douleur subite et intense que je l'ai vue projetée de plusieurs centimètres par en arrière. Pendant qu'elle se serre la poitrine, je me suis précipité à cet instant pour prendre ses signes vitaux et pour constater à ma grande surprise que ni son pouls, ni sa tension artérielle n'avaient dévié de l'état normal. Dans son agonie, Georgette avait manifesté de la difficulté à respirer.

Aussitôt qu'elle fut saisie par cette douleur, j'ai pu l'entendre remercier le Bon Dieu et offrir continuellement ses souffrances pour l'Église, pour les prêtres et pour Medjugorje afin que les apparitions soient authentifiées. Georgette continuait son offrande et par moments la douleur reprenait son intensité initiale pour enfin céder après une dizaine de minutes environ. Cette douleur si forte semblait surpasser l'agonie de l'infarctus du myocarde.

Georgette m'explique que cette douleur est l'agonie de Jésus ressentie comme un dard qui transperce son cœur. Cette souffrance acceptée et offerte unie à celle de Jésus devient rédemptrice en délivrant un grand nombre d'âmes du purgatoire.

Ce phénomène en présence des Pères Guy et Armand Girard n'était pas nouveau. Il se produit souvent lorsque les Pères célèbrent la Sainte Messe avec Georgette et surtout pendant l'action de grâce.

Cependant, selon les Pères Girard, c'est la première fois qu'un médecin est présent et peut témoigner de ce phénomène appelé transfixion du cœur en terme de théologie mystique.

Je remercie Dieu de cette grâce unique et surtout de m'avoir permis d'en être témoin.

Docteur Fayez Mishriki

Quatrième partie

Notre-Dame nous enseigne

Extrait des messages du jeudi

Introduction

Aujourd'hui beaucoup de gens connaissent déjà ces messages. Ils sont adressés tout d'abord à la paroisse de Medjugorje et ensuite à chaque personne, famille ou paroisse qui veut se laisser guider par Marie. Ils sont transmis par téléphone, radio, poste, bulletins répandus dans de nombreux pays.

Il y a de plus en plus de communautés qui les méditent en réunion de prières toutes les semaines, dans l'attente joyeuse du prochain message. Au début, tous ne comprenaient pas l'importance du message. Notre-Dame s'en était plainte et avait même annoncé de les arrêter. Maintenant l'intérêt est beaucoup plus grand. Ils atteignent un très grand nombre d'âmes désireuses de se laisser conduire par ce guide éminent, qui nous propose un appel clair, des conseils courts et des recommandations profondes. Aujourd'hui, après quelques années, on découvre les intentions de Notre-Dame et sa pédagogie. Elle ressemble à une douce pluie lente qui pénètre plus profondément la terre qu'une brusque averse passagère. Elle est maternelle, douce, patiente, pleine de délicatesse. Elle sait comment nous sommes faits. À l'exemple de son Fils et de l'amour patient de Dieu, Elle répète dix, vingt fois et s'il le faut, deux cents fois en attendant de nous voir ouvrir volontairement notre cœur et prendre des décisions par nous-mêmes. Ici, une anecdote «du vent et du soleil qui concouraient à savoir qui, le premier, enleverait le chapeau à un passant» est tout à fait à propos. Le vent se mit à l'œuvre le premier; plus il forçait, plus il était assaillant, moins il avait de chances, car le passant, ayant senti le danger du vent, tenait son chapeau plus fort avec ses mains et arrivait à déjouer les intentions du vent. Ensuite, c'est le soleil qui entre en jeu, lentement, avec persévérance. Le soleil tape, tape de plus en plus fort de sa chaleur persistante. Enfin le passant décide d'ôter son chapeau pour essuyer la sueur de son front.

Il semble qu'à Medjugorje, ce soleil de la bonté divine fasse précisément le même travail en attendant le plus grand nombre de conversions possibles qui, poussées par cette chaleur de l'amour maternel, vont décider enfin «d'ôter leur chapeau» et de s'incliner volontiers devant leur Dieu et Sauveur pour que Marie puisse alors obtenir la paix au monde. Marie est «Mater et Magistra» — «Mère et Maître». Il est très agréable d'être à son école.

Nous avons essayé de répartir les messages par thème pour mieux voir quelles sont les «matières» qu'on enseigne à cette école. Cela nous aidera dans nos propres efforts à déplacer les accents s'il le faut pour les mettre là où Elle insiste le plus souvent et le met en évidence. Dans ces messages, on reconnaît clairement la Femme qui combat le Serpent — Satan. Celui-là, la voyant crier dans les douleurs de l'enfantement, fait tout pour lui enlever l'enfant qui va naître. Maintenant, Elle s'est réfugiée «au désert» dans les cœurs de ses meilleurs enfants et leur demande de l'aider par la prière et le sacrifice pour que se réalise le plan dans lequel la terre s'ouvrira pour engloutir les mensonges de Satan dont il a empoisonné les étoiles célestes en les jetant du ciel de l'Église.

C'est pourquoi Elle nous indique les moyens à prendre pour pouvoir avec Elle remporter la victoire sur Satan. Ce sont au fond les messages évangéliques essentiels que de nombreux fils et filles de l'Église ont oubliés et même reniés.

— Conversion, changement de vie.

— Prière, jeûne, pénitence.
— Foi dans le Père Éternel qui nous envoie Marie.
— Foi dans l'unique Sauveur, le Fils de Dieu et le sien.
— Foi dans l'Esprit Saint, qui nous conduit, fortifie et éclaire.
— Foi dans l'Église, les sacrements, l'Eucharistie, le Pardon (Réconciliation).
— Vie dans l'amour de Dieu et de son prochain.
— Foi dans l'existence de Satan qui parcourt le monde pour la perte des âmes. (Satan n'est pas un symbole, ni une force négative, mais un être déchu.)
— Et ainsi de suite...

Elle adresse la parole aux prêtres, aux familles, aux moins jeunes, à tout le monde et en particulier à la paroisse de Medjugorje, qu'Elle désire former comme paroisse modèle pour être exemple et encouragement pour tous ceux qui vont s'y rendre en pèlerinage. Cependant on s'aperçoit que le plus grand nombre de ces messages se rapporte à la PRIÈRE. Le 12 juin 1986, Elle a dit: «Vous allez comprendre pourquoi je suis aussi longtemps avec vous. Je désire vous apprendre à prier.» En effet, lorsque nous cessons de prier, la foi se meurt en nous-mêmes, dans nos familles, dans nos communautés. Celui qui sait bien prier, sait bien vivre. Si on savait vraiment prier, on n'aurait pas besoin des interventions extraordinaires de Dieu, car le Seigneur nous a dit que par la prière on obtient tout, on reçoit et on trouve tout ce dont on a besoin pour nourrir son âme et son corps: le pain quotidien, la lumière de l'Esprit, la force, la consolation, la joie et la paix. Ces messages, nous avons pu l'observer, nous mènent dans les profondeurs de la prière, dans la *prière du cœur,* dans la prière amoureuse. Ils nous parlent de l'expérience de la joie dans la prière, de la glorification de Dieu, du remerciement, de l'expérience de Dieu dans la messe, de l'adoration du Saint-Sacrement et de ses effets, de la prière devant la croix, de la méditation des mystères du rosaire, d'une prière prolongée et intensifiée par le jeûne pour déjouer les plans de Satan, de la prière pour surmonter les tentations et vaincre Satan, de la prière qui nous fortifie dans les épreuves et par laquelle on obtient les guérisons, les conversions et l'amour du prochain.

Au début, les enfants, ne sachant pas trop comment prier, avaient, sur le conseil de leur grand-mère, commencé par réciter les sept «Notre Père» et la Vierge Marie a confirmé cette prière. Mais il ne faut pas s'arrêter à cela et penser que peut-être c'est tout ce qu'Elle demande, ce serait faux. Que ceux qui liront ces messages, en particulier ceux sur la prière, aient cela dans la tête et qu'ils permettent à Marie de les mener vers les profondeurs, là où l'on pêche de gros poissons (nourriture abondante et substantielle). D'ailleurs, laissons les messages nous interpeller!

Les messages

La prière

«Unissez-vous à ma *prière* pour la paroisse afin que ses souffrances soient supportables.» (22 mars 1984)

«Aujourd'hui je vous demande de cesser les médisances et de *prier* pour l'unité de la paroisse.» (12 avril 1984)

«Chers enfants, compatissez avec moi. *Priez, priez, priez.*» (19 avril 1984)

«Je vous demande de ne pas permettre à mon cœur de verser des larmes de sang à cause des âmes qui se perdent par le péché. Pour cela, chers enfants, *priez, priez, priez.*» (24 mai 1984)

«Ce soir, je voudrais vous dire de *prier* durant les jours de cette neuvaine pour que l'Esprit Saint se répande sur vos familles et sur votre paroisse. *Priez,* vous ne le regretterez pas. Dieu vous fera des dons pour lesquels vous Le glorifierez jusqu'à la fin de votre vie terrestre.» (2 juin 1984)

«Demain soir, *priez* pour l'Esprit de Vérité. Particulièrement, vous de la paroisse. *Priez* l'Esprit Saint qu'Il vous donne l'esprit de *prière,* pour que vous *priiez* davantage. Moi, votre Mère, je vous le dis: vous *priez* peu.» (9 juin 1984)

«*Priez, priez, priez.*» (21 juin 1984)

«Aujourd'hui, je voudrais vous dire de *prier* avant chaque action et de la finir avec la *prière.* Si vous faites ainsi, Dieu bénira et vous et votre travail. Ces jours-ci, vous *priez* peu et travaillez beaucoup. *Priez* davantage. Dans la *prière* vous vous reposerez.» (5 juillet 1984)

«Ces jours-ci, Satan voudrait empêcher tous mes plans. *Priez* afin que son dessein ne se réalise pas. Je *prierai* mon Fils Jésus qu'Il vous donne la grâce de voir dans les épreuves de Satan la victoire de Jésus.» (12 juillet 1984)

«Aujourd'hui encore, je voudrais vous inviter à persévérer dans la *prière* et la pénitence. En particulier, que les jeunes de cette paroisse soient plus actifs dans leurs *prières.*» (26 juillet 1984)

«Aujourd'hui, je suis joyeuse et je vous remercie de vos *prières. Priez* davantage ces jours-ci pour la conversion des pécheurs.» (2 août 1984)

«*Priez* parce que Satan essaie continuellement d'embrouiller mes plans. *Priez* avec le cœur et offrez-vous à Jésus dans la *prière.*» (11 août 1984)

«Je voudrais que le monde *prie* ces jours-ci à mes côtés. Et le plus possible qu'il jeûne rigoureusement le mercredi et le vendredi. Qu'il *prie* chaque jour au moins le Rosaire: les mystères joyeux, douloureux et glorieux.» (14 août 1984)

«*Priez, priez, priez.*» (23 août 1984)

«Ces jours-ci spécialement, allez sur la montagne et *priez* devant la croix. J'ai besoin de vos *prières.*» (30 août 1984)

«Sans *prière,* il n'y a pas de paix. C'est pourquoi je vous dis: chers enfans, *priez* devant la Croix pour la paix.» (6 septembre 1984)

«J'ai continuellement besoin de vos *prières.* Vous vous demandez, pourquoi tant de *prières*? Retournez-vous, chers enfants, et vous verrez comment le péché a gagné la terre. Pour cela, *priez* pour que Jésus triomphe.» (13 septembre 1984)

«*Priez* et jeûnez avec le cœur.» (20 septembre 1984)

«Vous m'avez aidée par vos *prières* à la réalisation de mes plans. *Priez* encore pour qu'ils se réalisent totalement. Je demande aux familles de la paroisse de réciter le Rosaire en famille.» (27 septembre 1984)

«Aujourd'hui, je voudrais dire que vous me réjouissez souvent par vos *prières.* Mais il y en a assez qui, dans la paroisse même ne *prient pas et mon cœur en est triste. Pour cela, priez* afin que je puisse porter tous vos sacrifices et *prières* au Seigneur.» (4 octobre 1984)

«Aujourd'hui, je vous demande de lire, chaque jour dans vos maisons, la Sainte Bible, et de la placer en évidence, d'où elle vous incitera à la lire et à *prier.*» (18 octobre 1984)

«*Priez* durant ce mois. Dieu m'a permis chaque jour de vous aider par des grâces afin de vous défendre contre le mal. Ce mois est le mien. Je voudrais vous le donner. *Priez* seulement, et Dieu vous donnera les grâces que vous demandez. Je vous aiderai en cela.» (25 octobre 1984)

«Aujourd'hui, je vous invite au renouvellement de la *prière* dans vos maisons. Les travaux des champs sont finis. Maintenant, consacrez-vous à la *prière.* Que la *prière* occupe la première place dans vos familles.» (1er novembre 1984)

«Vous n'êtes pas conscients du message que Dieu vous envoie par moi. Il vous donne de grandes grâces et vous ne comprenez pas. *Priez* l'Esprit Saint pour qu'Il vous éclaire. Si vous saviez combien Dieu vous donne de grâces, vous *prieriez* sans cesse.» (8 novembre 1984)

«Vous êtes le peuple élu et le Seigneur vous a donné beaucoup de grâces. Vous n'êtes pas conscients de chaque message que je vous donne. Maintenant, je voudrais vous dire seulement: *priez, priez, priez.* Je ne sais que vous dire d'autre, parce que je vous aime et je voudrais que vous connaissiez, dans la *prière,* mon amour et l'amour de Dieu.» (15 novembre 1984)

«Vous n'écoutez pas avec amour les paroles que je vous

donne. Soyez conscients, mes bien-aimés, que je suis votre Mère et que je suis venue sur la terre pour vous apprendre à écouter avec amour, à *prier* avec amour. » (29 novembre 1984)

« Ces jours-ci, je vous invite à la *prière* familiale. ... Ce Noël sera pour vous inoubliable, pourvu que vous acceptiez les messages que je vous donne. » (6 décembre 1984)

« Que cette semaine soit la semaine de l'*action de grâce* pour toutes les grâces que Dieu vous a accordées. » (3 janvier 1985)

« Mes chers enfants, Satan est si puissant et il emploie toute sa force pour faire obstacle à mes plans sur vous. *Priez, priez* sans cesse, et ne vous arrêtez pas un instant. Moi aussi, je *prierai* mon Fils afin que se réalisent tous mes plans sur vous. Soyez patients et persévérants dans vos *prières* ! Ne vous laissez pas décourager par Satan. Il est très puissant en ce monde. Soyez prudents. » (14 janvier 1985)

« Ces jours-ci, vous avez pu sentir la douceur divine à travers le renouveau qui s'est fait dans cette paroisse. Satan veut travailler encore plus fort pour enlever en chacun de vous la joie. Par la *prière,* vous pouvez le désarmer complètement et assurer ainsi votre bonheur. » (24 janvier 1985)

« Ces jours-ci, Satan se manifeste d'une façon particulière dans la paroisse. *Priez,* chers enfants, pour que se réalisent les desseins de Dieu et que toute action de Satan tourne à la gloire de Dieu. » (7 février 1985)

« Chaque famille doit dire la *prière* en famille et lire la Bible. » (14 février 1985)

« Jour après jour, je vous ai appelés au renouveau et à la *prière* dans votre paroisse, mais vous ne l'acceptez pas. Aujourd'hui, je vous y invite pour la dernière fois. C'est le temps du Carême et vous, dans la paroisse, vous pouvez, pendant cette période, par amour pour mon appel, prendre cette initiative. » (21 février 1985)

« Je vous invite à renouveler la *prière* dans vos familles. Chers enfants, encouragez les très jeunes à *prier* et à aller à la sainte messe. » (7 mars 1985)

«Aujourd'hui, je veux vous rappeler: *priez, priez, priez*! Dans la *prière* vous connaîtrez la plus grande joie et le moyen de résoudre toute situation qui ne semble pas avoir de solution. Merci de progresser dans la *prière*. Chaque individu est cher à mon cœur et je remercie tous ceux d'entre vous qui ont rallumé la *prière* dans leur famille.» (28 mars 1985)

«Aujourd'hui, je désire dire à chacun dans la paroisse de *prier* d'une façon spéciale pour recevoir les lumières de l'Esprit Saint.» (11 avril 1985)

«Dites toutes les *prières* pour l'ouverture des cœurs des pécheurs. Je le veux, Dieu le veut à travers moi.» (18 avril 1985)

«Aujourd'hui, je vous appelle à la *prière* du cœur et non par routine. Certains viennent, mais ne désirent pas avancer dans la *prière*. C'est pourquoi, je désire vous aviser comme une Mère, *priez* pour que la *prière* prévale dans vos cœurs à chaque instant.» (2 mai 1985)

«Non, vous ne savez pas combien Dieu vous accorde de grâces! Vous ne voulez pas vous mettre en mouvement en ces jours où l'Esprit Saint agit de façon particulière. Vos cœurs sont tournés vers les choses de la terre et elles vous préoccupent. Retournez vos cœurs à la *prière* et demandez que l'Esprit Saint se répande sur vous.» (9 mai 1985)

«Je vous appelle à une *prière* plus active et à une plus grande participation à la messe. Je désire que la messe soit pour vous une expérience de Dieu. Je veux dire spécialement aux jeunes: soyez ouverts au Saint Esprit parce que Dieu veut vous attirer à Lui en ces jours où Satan est actif.» (16 mai 1985)

«Je vous invite de nouveau à la *prière* du cœur. Chers enfants, que la *prière* soit votre nourriture quotidienne, spécialement quand le travail des champs prend toute votre énergie et que vous ne pouvez pas *prier* avec votre cœur. *Priez* et de cette façon, vous surmonterez toute fatigue. La *prière* sera votre joie et votre repos.» (30 mai 1985)

«Je vous invite jusqu'à l'anniversaire des apparitions, vous de la paroisse, à *prier* davantage. Que votre *prière* devienne signe d'offrande à Dieu. » (13 juin 1985)

« Je vous exhorte à inviter tout le monde à la *prière* du rosaire. Avec le rosaire, vous vaincrez toutes les difficultés que Satan veut faire à l'Église catholique. Vous, les prêtres, *priez* le rosaire, consacrez du temps au rosaire. » (25 juin 1985)

« J'aime la paroisse et je la protège avec mon manteau, de la malice de Satan. *Priez* pour que Satan s'enfuie de cette paroisse et de chaque personne qui vient à la paroisse. De cette manière, vous serez capables d'entendre chaque appel de Dieu et d'y répondre par votre vie. » (11 juillet 1985)

« Satan a pris une partie du plan et veut le posséder. *Priez* pour qu'il ne réussisse pas, parce que je vous désire à moi, pour vous offrir à Dieu. » (1er août 1985)

« Aujourd'hui, je vous invite, et en particulier maintenant, à commencer le combat contre Satan par la *prière*. Armez-vous contre Satan et vous vaincrez le rosaire à la main. » (8 août 1985)

« Aujourd'hui, j'aimerais vous dire que le Seigneur veut vous mettre à l'épreuve, que vous pouvez vaincre par la *prière*. Dieu vous met à l'épreuve par les travaux de tous les jours. Maintenant, *priez* pour surmonter tranquillement chaque épreuve. » (22 août 1985)

« Je vous invite à la *prière,* particulièrement lorsque Satan veut se servir des récoltes de vos vignes. *Priez* pour qu'il n'arrive pas à ses fins. » (29 août 1985)

« Aujourd'hui, je vous remercie pour toutes vos *prières*. *Priez* continuellement et davantage pour que Satan soit loin de ce lieu. Chers enfants, le plan de Satan a échoué. *Priez* pour que le plan de Dieu se réalise dans cette paroisse. » (5 septembre 1985)

« Je veux vous dire que ces jours-ci, la Croix doit être au centre de votre vie. *Priez* spécialement devant la Croix, d'où viennent de grandes grâces. Maintenant, faites dans vos maisons une consécration spéciale à la Croix. » (12 septembre 1985)

«Je vous remercie pour toutes les *prières.*» (26 septembre 1985)

«Je désire vous dire d'être reconnaissants au Seigneur pour chaque grâce qu'Il vous a donnée. Remerciez le Seigneur pour tous les fruits et louez-Le. Chers enfants, apprenez à remercier pour les petites choses et ensuite vous pourrez Le remercier pour les grandes.» (3 octobre 1985)

«*Priez* et aimez.» (7 novembre 1985)

«Moi, votre Mère, je vous aime. Je désire vous inciter à la *prière.* Chers enfants, je ne me lasse jamais, je vous appelle même si vous êtes loin de mon cœur.» (14 novembre 1985)

«Pendant l'été, vous dites que vous avez beaucoup de travail. Maintenant, il n'y a pas de travaux à faire dans les champs, travaillez donc sur vous-mêmes. Venez à la messe, car ce temps vous est donné à vous. Chers enfants, il y en a tellement qui viennent régulièrement malgré le mauvais temps, car ils m'aiment et ils veulent me montrer leur amour d'une manière spéciale. Je vous demande de montrer votre amour en venant à la messe, le Seigneur vous récompensera généreusement.» (21 novembre 1985)

«Je vous prie, chers enfants, d'entrer consciencieusement dans la *prière,* et c'est dans la *prière* que vous connaîtrez la majesté de Dieu.» (28 novembre 1985)

«Je vous invite à vous préparer à la fête de Noël par la pénitence, la *prière* et des actes d'amour.» (5 décembre 1985)

«À Noël, je vous invite à louer Jésus ensemble avec moi. Ce jour-là, je vous le donne d'une manière spéciale et vous invite à fêter Jésus et sa naissance avec moi. Chers enfants, ce jour-là, *priez* davantage. Et pensez plus à Jésus.» (12 décembre 1985)

«Je vous invite à aider Jésus avec vos *prières* pour la réalisation de tous les plans qu'Il a déjà commencés ici.» (9 janvier 1986)

«Aujourd'hui aussi, je vous invite à la *prière*; j'ai besoin de vos *prières* pour que Dieu soit glorifié à travers vous tous.» (16 janvier 1986)

« Je vous invite de nouveau à la *prière* du cœur. Si vous *priez* avec le cœur, chers enfants, la glace de vos frères fondra et chaque barrière disparaîtra. La conversion sera facile pour tous ceux qui veulent la recevoir. C'est un don que vous devez implorer pour votre prochain. » (23 janvier 1986)

« Aujourd'hui, je vous invite tous à *prier* pour que se réalisent les plans de Dieu avec nous et tout ce que Dieu désire à travers vous. Aidez les autres à se convertir, spécialement tous ceux qui viennent à Medjugorje. ... Je vous invite à *prier* afin que vous deveniez les témoins de ma présence. » (30 janvier 1986)

« J'offre de grandes grâces à tous ceux qui *prient* avec le cœur. » (6 février 1986)

« Le deuxième message pour les jours de Carême: Il faut renouveler la *prière* devant la Croix. Chers enfants, je vous offre des grâces particulières, et Jésus, des dons particuliers de la Croix. Accueillez-les et vivez-les. Méditez la passion de Jésus et dans la vie, unissez-vous à Jésus. » (20 février 1986)

« Aujourd'hui encore, je vous appelle à vous ouvrir davantage à Dieu pour qu'Il puisse agir à travers vous. Autant vous vous ouvrez, autant vous recevez de fruits. Je désire de nouveau vous appeler à la *prière*. » (6 mars 1986)

« Aujourd'hui, je vous invite à entrer activement dans la *prière*. Vous désirez vivre tout ce que je vous dis et vous n'y réussissez pas parce que vous ne *priez* pas. Chers enfants, je vous en prie, ouvrez-vous et commencez à *prier*. La *prière* sera un bonheur pour vous si vous commencez. Elle ne vous ennuiera pas car vous *prierez* dans la joie. » (20 mars 1986)

« Je désire vous inviter à vivre la Sainte Messe. Il y en a beaucoup parmi vous qui ont ressenti la beauté de la messe, mais il y en a d'autres qui n'y viennent pas volontiers. Je vous ai choisis, chers enfants, mais Jésus donne ses grâces pendant la messe. À cause de cela, vivez consciemment la Sainte Messe et que chaque assistance à la messe soit pour vous pleine de joie. Venez avec l'amour et acceptez la Sainte Messe. » (3 avril 1986)

« Je vous invite, chers enfants, à *prier* pour les dons du Saint-

Esprit qui vous sont nécessaires maintenant afin que vous puissiez témoigner de ma présence ici, de tout ce que je vous donne. » (17 avril 1986)

« Aujourd'hui, je vous invite à *prier*. Chers enfants, vous oubliez que vous êtes tous importants. En particulier, les anciens sont importants dans la famille. Incitez-les à *prier*... Je vous prie de commencer à changer dans la *prière* et vous saurez ce que vous devez faire. » (24 avril 1986)

« Je vous prie de commencer à changer votre vie dans la famille. Que la famille soit une fleur harmonieuse que je désire donner à Jésus. Chers enfants, que chaque famille soit active dans la *prière,* mais je désire qu'un jour on voit aussi des fruits dans la famille. Alors seulement, je vous offrirai tous comme des pétales à Jésus dans la réalisation des plans de Dieu. » (1er mai 1986)

« Aujourd'hui, je vous invite à commencer à *prier* avec une foi vive le rosaire. Ainsi je pourrai vous aider. Chers enfants, vous désirez recevoir des grâces, mais vous ne *priez* pas. Je ne peux pas vous aider si vous ne voulez pas vous mettre en marche. Chers enfants, je vous invite à *prier* le rosaire afin qu'il vous soit un engagement que vous accomplirez avec joie. Ainsi, vous comprendrez pourquoi je suis aussi longtemps avec vous. Je vais vous apprendre à *prier*. » (12 juin 1986)

« Pendant ces jours, le Seigneur m'a permis de vous obtenir des grâces plus nombreuses. Pour cette raison, je vous incite de nouveau à *prier*. *Priez* sans cesse, comme cela, je pourrai vous donner la joie que le Seigneur me donne. » (19 juin 1986)

« Il y a des gens qui, par leur indifférence, anéantissent la paix et la *prière*. Que le témoignage de votre vie conserve cette oasis intacte. » (26 juin 1986)

« Aujourd'hui, je vous invite tous à la *prière*. Sans la *prière,* chers enfants, vous ne pouvez percevoir ni Dieu, ni moi, ni les grâces que je vous donne. Voici à quoi je vous invite: que le commencement et la fin de votre journée soient toujours une *prière*. ... Que la *prière* occupe toujours chez vous la première place. (3 juillet 1986)

«Vous savez ce que je vous ai promis: une oasis de paix. Vous ignorez qu'à côté de l'oasis existe un désert où Satan épie et désire éprouver chacun d'entre vous. Chers enfants, c'est seulement par la *prière* que vous pouvez triompher de l'influence de Satan.» (7 août 1986)

«Que votre *prière* soit la joie de la rencontre avec le Seigneur. Je ne peux pas vous conduire jusque-là tant que vous ne vous sentez pas dans la joie de la *prière*. Je désire vous conduire plus profondément de jour en jour dans la *prière*, mais je ne peux pas vous y contraindre.» (14 août 1986)

«De jour en jour, je prie le Seigneur de vous aider à comprendre l'amour que je vous témoigne. C'est pourquoi, chers enfants, *priez, priez, priez.*» (21 août 1986)

«Je vous invite à être en tout un exemple pour les autres, spécialement dans la *prière* et dans le témoignage. Chers enfants, sans vous je ne peux pas aider le monde. Je désire que vous collaboriez avec moi en tout, même dans les plus petites actions. Pour cette raison, chers enfants, aidez-moi, que votre *prière* soit une *prière* du cœur et que vous vous abandonniez totalement à moi. À cette condition, je pourrai vous enseigner et vous guider sur ce chemin que j'ai commencé avec vous.» (28 août 1986)

«Aujourd'hui encore, je vous invite à la *prière* et au jeûne. Sachez, chers enfants, qu'avec votre aide je peux tout faire et empêcher Satan de vous induire en erreur et le contraindre à s'éloigner de cet endroit... Je vous invite à faire que votre journée ne soit que *prière* et abandon total à Dieu. (4 septembre 1986)

«*Priez* pour pouvoir accepter la maladie et la souffrance avec amour comme Jésus les a acceptées. Uniquement de cette façon, je pourrai avec joie vous accorder des grâces et des guérisons que Jésus me permet de vous donner.» (11 septembre 1986)

«C'est pourquoi je vous encourage à aider par la prière et votre vie à anéantir tout ce qui est mal dans les hommes et à découvrir le mensonge dont Satan se sert pour la perte des âmes. *Priez* pour que la Vérité triomphe dans vos cœurs.» (25 septembre 1986)

«Aujourd'hui aussi je vous appelle à la *prière*. Vous, chers enfants, vous ne pouvez pas comprendre quelle est la valeur de la *prière,* si vous ne vous dites pas en vous-même, maintenant c'est le temps de *prier*; maintenant tout le reste n'a pas d'importance; maintenant personne n'est important pour moi, excepté Dieu. Chers enfants, consacrez-vous à la *prière* avec un amour spécial ainsi Dieu pourra vous donner des grâces.» (2 octobre 1986)

«C'est pourquoi, chers enfants, je vous invite à la *prière* et à l'abandon total à Dieu, car Satan désire vous conquérir par les choses quotidiennes et prendre la première place dans votre vie. C'est pourquoi, chers enfants, *priez* sans cesse.» (16 octobre 1986)

«Aujourd'hui encore je vous appelle à la *prière* plus particulièrement je vous invite, chers enfants, à *prier* pour la paix. Sans vos *prières,* je ne puis vous aider à réaliser les messages que le Seigneur m'a permis de vous donner. C'est pourquoi, chers enfants, *priez* pour connaître dans la *prière* la paix que le Seigneur vous donne.» (23 octobre 1986)

«Je désire aujourd'hui vous appeler à *prier* de jour en jour pour les âmes du purgatoire. Chaque âme a besoin de *prières* et de grâces pour arriver à Dieu et à l'amour de Dieu. ... C'est pourquoi, chers enfants, *priez* sans arrêt pour pouvoir vous aider vous-mêmes, ainsi que les autres à qui vos *prières* apporteront la joie.» (6 novembre 1986)

«Je vous invite tous à *prier* de tout votre cœur ainsi qu'à changer de jour en jour votre vie. En particulier, je vous invite, chers enfants, à vivre saintement par vos *prières* et vos sacrifices. ... C'est pourquoi, chers enfants, *priez,* et de jour en jour changez votre vie pour être saints.» (13 novembre 1986)

«*Priez,* chers enfants, car seulement ainsi vous pourrez connaître tout le mal qui est en vous et le livrer au Seigneur pour qu'Il puisse purifier vos cœurs complètement. *Priez* sans arrêt et purifiez vos cœurs par la pénitence et le jeûne.» (4 décembre 1986)

«Je vous appelle à *prier* en ce temps particulier pour que vous arriviez à faire l'expérience de la joie de la rencontre avec Jésus naissant. ... C'est pourquoi, chers enfants, *priez* et abandonnez-vous complètement à moi.» (11 décembre 1986)

«Aujourd'hui, je désire vous appeler de nouveau à la *prière.* Quand vous *priez,* vous êtes beaucoup plus beaux, comme les fleurs qui, après les neiges, font voir toute leur beauté et toutes les couleurs deviennent indescriptibles. De même, vous aussi, chers enfants, après la *prière* vous déployez davantage devant Dieu tout ce qui est beau pour Lui plaire. C'est pourquoi, chers enfants, *priez* et ouvrez votre intérieur au Seigneur pour qu'Il fasse de vous d'harmonieuses et belles fleurs pour le Paradis.» (18 décembre 1986)

«*Priez* sans arrêt et vivez tous les messages que Je vous donne, car Je fais cela avec un grand amour envers Dieu et envers vous.» (1er janvier 1987)

«En particulier, chers enfants, merci pour tous les sacrifices et les *prières* que vous m'avez présentés.» (8 janvier 1987)

«C'est pourquoi, *priez,* chers enfants, pour que vous puissiez connaître dans la *prière* le plan de Dieu sur chacun de vous.» (25 janvier 1987)

«*Priez et vous connaîtrez dans la prière* le chemin neuf de la joie. La joie se révélera dans vos cœurs, ainsi vous serez les joyeux témoins de ce que mon Fils et moi attendons de chacun de vous.» (25 février 1987)

«Je vous invite tous à la *prière.* Vous savez, chers enfants, que Dieu donne des grâces spéciales dans la *prière.* Pour cela, cherchez et *priez* pour pouvoir comprendre tout ce que je vous donne ici. Je vous invite à la *prière* du cœur. Vous savez que sans la prière vous ne pouvez pas comprendre tout ce que Dieu planifie à travers chacun de vous. Pour cela, *priez.* Je désire qu'en chacun se réalise le dessein de Dieu et grandisse tout ce qu'Il vous a déposé dans vos cœurs. Pour cela, *priez* afin que la bénédiction de Dieu puisse vous protéger de tout le mal qui vous menace.» (27 avril 1987)

Les jeunes

«Aujourd'hui encore, je voudrais vous inviter à persévérer dans la prière et la pénitence. En particulier, que les jeunes de cette paroisse soient plus actifs dans leurs prières.» (26 juillet 1984)

«Priez, priez, priez. J'invite aussi les gens, et particulièrement les *jeunes,* à maintenir l'ordre dans l'église durant la messe.» (23 août 1984)

«Aujourd'hui, je vous remercie pour toutes vos prières. Priez continuellement et davantage pour que Satan soit loin de ce lieu. Chers enfants, le plan de Satan a échoué. Priez pour que le plan de Dieu se réalise dans cette paroisse. Je remercie spécialement les *jeunes* pour les sacrifices qu'ils ont offerts.» (5 septembre 1985)

«Aujourd'hui, j'aimerais vous inviter à vivre les messages de la paroisse; en particulier les *jeunes* de cette paroisse qui m'est si chère. Chers enfants, si vous vivez les messages, vous cultiverez les germes de la sainteté. Comme Mère, je vous convie tous à la sainteté pour que vous puissiez aussi la transmettre aux autres. Vous êtes un miroir pour autrui.» (10 octobre 1985)

«Je veux vous remercier tous, pour ce que vous avez fait pour moi, surtout les *jeunes.* Je vous prie, chers enfants, d'entrer consciencieusement dans la prière, car c'est en elle que vous connaîtrez la majesté de Dieu.» (28 novembre 1985)

La paroisse de Medjugorje

«J'ai choisi d'une façon particulière cette *paroisse* et je désire la guider. Dans l'amour, je la garde et je voudrais que tous soient miens. Je vous remercie d'être ici ce soir. Je voudrais que vous soyez toujours de plus en plus nombreux avec mon Fils et Moi. Chaque jeudi, je vous donnerai un message particulier.» (1er mars 1984)

«Je vous remercie d'avoir répondu à mon appel. Chers enfants, vous, de la *paroisse,* convertissez-vous. C'est mon second désir. Ainsi tous ceux qui viendront ici pourront se convertir.» (8 mars 1984)

«Ce soir, je vous invite d'une façon particulière, durant ce Carême, à vénérer les plaies de mon Fils, qu'Il a portées pour les péchés de cette *paroisse*. Unissez-vous à ma prière pour la *paroisse* afin que ses souffrances soient supportables.» (22 mars 1984)

«Aujourd'hui, je vous demande de cesser les médisances et de prier pour l'unité de la *paroisse,* car mon Fils et Moi avons un plan particulier pour cette *paroisse*.» (12 avril 1984)

«Je ne désire contraindre personne à réaliser ce qu'il ne désire pas, bien que j'aie pour la *paroisse* des messages particuliers pour réveiller la foi de chaque croyant. Mais très peu ont accepté les messages du jeudi. Au début, ils étaient assez nombreux, mais c'est devenu pour eux comme une habitude. Et maintenant, quelques-uns demandent le message par curiosité, et non avec foi et dévotion envers mon Fils et Moi.» (30 avril 1984)

«Je vous parle et désire vous parler encore. Écoutez seulement mes recommandations.» (10 mai 1984)

«Aujourd'hui, j'ai beaucoup de joie parce que plusieurs d'entre vous désirent se consacrer à Moi. Je vous remercie. Vous ne vous trompez pas. Mon fils Jésus Christ veut, par Moi, vous accorder des grâces particulières. Mon Fils se réjouit de votre abandon.» (17 mai 1984)

«Déjà, je vous ai dit vous avoir choisis d'une façon particulière tels que vous êtes. Moi, la Mère, je vous aime tous. Et à chaque instant, quand le moment est difficile, n'ayez pas peur. Je vous aime, même quand vous êtes loin de mon Fils et de Moi. Je vous demande de ne pas permettre à mon cœur de verser des larmes de sang à cause des âmes qui se perdent par le péché.» (24 mai 1984)

«Aujourd'hui aussi, je voudrais vous remercier pour tous vos sacrifices, et tout particulièrement j'adresse des remerciements à ceux qui sont devenus chers à mon cœur et qui viennent ici volontiers. Il y a des *paroissiens* qui n'écoutent pas les messages, mais à cause de ceux qui sont près de mon cœur d'une manière spéciale, à cause d'eux, je donne des messages à la *paroisse.* Et je continuerai à en donner parce que je vous aime et je souhaite que vous propagiez mes messages avec votre cœur.» (10 janvier 1985)

«Ces jours-ci, Satan lutte sournoisement contre cette *paroisse,* et vous, chers enfants, vous vous êtes endormis dans la prière et peu nombreux sont ceux qui vont à la messe. Résistez aux jours d'épreuves.» (17 janvier 1985)

«Ces jours-ci, vous avez pu sentir la douceur divine à travers le renouveau qui s'est fait dans cette *paroisse.* Satan veut travailler encore plus fort pour enlever la joie en chacun de vous. Par la prière, vous pouvez le désarmer complètement et assurer votre bonheur.» (24 janvier 1985)

«Présentement, Satan se manifeste d'une façon particulière dans la *paroisse.* Priez, chers enfants, pour que se réalisent les desseins de Dieu et que toute action de Satan tourne à la gloire de Dieu.» (7 février 1985)

«C'est le jour où je donne les messages pour la *paroisse,* mais toute la *paroisse* n'accepte pas les messages et ne les vit pas. Je suis triste, et j'aimerais, chers enfants, que vous m'écoutiez et viviez mes messages. Chaque foyer doit dire la prière en famille et lire la Bible.» (14 février 1985)

«Jour après jour, je vous ai appelés au renouveau et à la prière dans votre *paroisse,* mais vous ne l'acceptez pas. Aujourd'hui, je vous y invite pour la dernière fois. C'est le temps du Carême et vous, en tant que *paroissiens,* pouvez, pendant cette période, par amour pour mon appel, prendre l'initiative d'y répondre. Si vous ne le faites pas, je suspendrai mes messages. Dieu me le permet.» (21 février 1985)

«Aujourd'hui, je vous invite à vivre pendant cette semaine ces paroles: «J'aime Dieu.» Chers enfants, vous obtiendrez tout par l'Amour, et même ce que vous croyez impossible. Dieu veut que cette *paroisse* Lui appartienne entièrement. Moi aussi, je le souhaite.» (28 février 1985)

« Dans votre vie, vous avez tous expérimenté la lumière et les ténèbres. Dieu donne à chaque personne la connaissance du bien et du mal. Je vous appelle à réfléchir sur la lumière que vous devez donner à tous ceux qui sont dans les ténèbres. De jour en jour, ces gens qui sont dans les ténèbres vont dans vos maisons. Donnez-leur, chers enfants, la lumière. » (14 mars 1985)

« Je veux vous donner les messages et, par conséquent, aujourd'hui aussi, je vous appelle à vivre et à accepter mes messages. Chers enfants, je vous aime; et d'une façon spéciale, j'ai choisi cette *paroisse* qui m'est plus chère que d'autres où je suis restée volontiers quand le Très-Haut M'a envoyée. Par conséquent, je vous appelle: acceptez-moi, chers enfants, pour votre bonheur. Écoutez mes messages et mettez-les en pratique. » (21 mars 1985)

« Je vous remercie parce que vous pensez davantage dans vos cœurs, à la gloire de Dieu. Aujourd'hui, je désirais arrêter les messages parce que certains ne les acceptent pas. La *paroisse* a répondu et je désire continuer à donner des messages comme cela n'a jamais été auparavant, dans l'histoire depuis le commencement du monde. » (4 avril 1985)

« Vous, les *paroissiens,* avez une grande et lourde croix. Mais n'ayez pas peur de la porter. Mon Fils est là pour vous aider. » (5 avril 1985)

« Aujourd'hui, je désire dire à chaque *paroissien* de prier d'une façon spéciale pour recevoir les lumières de l'Esprit Saint. À partir de ce moment, Dieu veut éprouver la *paroisse* d'une façon spéciale afin de la fortifier dans la foi. » (11 avril 1985)

« Aujourd'hui, je vous remercie pour toute l'ouverture de vos cœurs. La joie M'envahit pour chaque cœur qui s'ouvre à Dieu, spécialement dans la *paroisse.* Réjouissez-vous avec Moi. Dites toutes vos prières pour l'ouverture du cœur des pécheurs. Je le veux, Dieu le veut à travers Moi. » (18 avril 1985)

« Je vous invite de nouveau à la prière du cœur. Chers enfants, que la prière soit votre nourriture quotidienne, spécialement quand le travail des champs prend toute votre énergie et que vous éprouvez de la difficulté à prier avec votre cœur. Priez et de cette façon vous surmonterez toute fatigue. La prière sera votre joie et votre repos.» (30 mai 1985)

«Ces jours-ci, viendront dans la *paroisse* des gens de toutes les nations. Et maintenant, je vous invite à l'amour. Aimez d'abord les membres de votre famille, et ensuite vous pourrez accepter et aimer tous ceux qui viennent.» (6 juin 1985)

«Je vous invite jusqu'à l'anniversaire des apparitions, vous de la *paroisse,* à prier davantage. Que votre prière devienne signe d'offrande à Dieu. Chers enfants, je sais que vous êtes fatigués. Non, vous ne savez pas vous abandonner à Moi. Abandonnez-vous totalement à Moi ces jours-ci.» (13 juin 1985)

«J'aime la *paroisse* et je la protège, avec mon manteau, des séductions de Satan. Priez pour qu'il s'enfuie de la *paroisse* et du cœur des personnes qui viennent à la *paroisse.* De cette manière, vous serez capables d'entendre chaque appel de Dieu et d'y répondre par votre vie.» (11 juillet 1985)

«Je désire vous dire que j'ai choisi cette *paroisse* et que je la porte dans mes mains comme une petite fleur qui ne veut pas mourir. Je vous invite à vous abandonner à Moi, afin que je puisse vous offrir à Dieu purs et sans péché. Satan a pris une partie du plan et veut le posséder. Priez pour qu'il ne réussisse pas, parce que je vous désire pour vous offrir à Dieu.» (1er août 1985)

«Je vous invite à la prière, particulièrement lorsque Satan veut se servir des récoltes de vos vignes. Priez afin qu'il ne réussisse pas son plan.» (29 août 1985)

«Aujourd'hui, je vous remercie pour toutes vos prières. Priez continuellement et davantage pour que Satan s'éloigne de ce lieu. Chers enfants, le projet de Satan a échoué. Priez pour que le plan de Dieu se réalise dans cette *paroisse.* Je remercie spécialement les jeunes pour les sacrifices qu'ils ont offerts.» (5 septembre 1985)

«Je vous remercie de vos prières, de vos sacrifices. Je désire, chers enfants, que vous reviviez les messages que je vous donne, surtout le jeûne, parce qu'avec le jeûne, vous Me réjouissez et vous obtenez que se réalise entièrement le projet du Seigneur sur Medjugorje. » (26 septembre 1985)

« Aujourd'hui, j'aimerais vous inviter à vivre les messages de la *paroisse*; en particulier les jeunes de la *paroisse* qui m'est si chère. Chers enfants, si vous vivez les messages, vous cultiverez les germes de la sainteté. Comme Mère, je vous appelle tous à la sainteté pour que vous puissiez la rayonner sur les autres. Vous êtes un miroir pour autrui. » (10 octobre 1985)

« Il y a un temps pour chaque chose. Aujourd'hui, je vous invite à commencer à travailler vos cœurs. Les travaux des champs sont terminés. Vous trouvez le temps de nettoyer les endroits les plus délaissés, mais vous laissez vos cœurs de côté. Travaillez davantage et nettoyez avec amour chaque recoin de vos cœurs. » (17 octobre 1985)

« Je vous invite à l'amour du prochain, surtout envers ceux qui vous font du mal. Ainsi, vous pourrez juger les intentions des cœurs avec amour. Priez et aimez, chers enfants. Avec la force de l'amour, vous serez aussi capables d'accomplir les choses qui vous paraissent impossibles. » (7 novembre 1985)

« Ce temps est là spécialement pour vous, de cette *paroisse*. Pendant l'été, vous avez beaucoup de travail. Maintenant, les travaux champêtres sont terminés, travaillez donc sur vous-mêmes. Venez à la messe, vous en avez le temps. Chers enfants, il y en a tellement qui viennent régulièrement malgré la mauvaise température, car ils m'aiment et veulent me prouver leur amour d'une manière spéciale. Je vous demande de montrer votre amour en venant à la messe, le Seigneur vous récompensera généreusement. » (21 novembre 1985)

« Je vous invite à aider Jésus de vos prières pour la réalisation de tous les plans qu'Il a déjà commencés ici. Offrez vos sacrifices à Jésus afin qu'Il puisse réaliser tout ce qu'Il avait planifié et que Satan ne puisse rien faire. » (9 janvier 1986)

« Cette *paroisse* que j'ai choisie est une *paroisse* spéciale et se distingue des autres. C'est pourquoi j'offre de grandes grâces à tous ceux qui prient avec le cœur. Chers enfants, je donne d'abord les messages aux *paroissiens* et, après, à tous les autres. Vous devez les accepter en premier et les autres sont ensuite appelés à les accueillir. Vous en êtes responsables devant mon Fils Jésus et Moi.» (6 février 1986)

«Aujourd'hui, je vous invite tous à vivre l'amour envers Dieu et envers le prochain. Sans amour, chers enfants, vous ne pouvez rien. Voici pourquoi je vous invite à vivre un amour réciproque, ainsi seulement vous pourrez aimer et accepter et moi et tous ceux qui sont autour de vous, tous ceux qui viennent dans votre *paroisse*. Tous percevront mon amour à travers vous. Voilà pourquoi je vous prie, chers enfants, de commencer à partir d'aujourd'hui à aimer d'un amour brûlant, l'amour avec lequel je vous aime.» (29 mai 1986)

«Dieu m'a permis de réaliser avec Lui cette oasis de paix. Je vais vous inviter à la conserver intacte. Il y a des gens qui, par leur indifférence, anéantissent la paix et la prière. Je vous invite à témoigner et à aider par votre vie à conserver intacte cette oasis.» (26 juin 1986)

«Aujourd'hui encore, je vous invite à la prière et au jeûne. Sachez, chers enfants, qu'avec votre aide je peux tout faire et empêcher Satan de vous induire en erreur et le contraindre à s'éloigner de cet endroit. Satan guette chacun de vous. Il désire spécialement, dans les choses quotidiennes, semer le doute en chacun de vous. C'est pourquoi je vous invite à ce que votre journée ne soit que prière et abandon total à Dieu.» (4 septembre 1986)

La conversion ou changement de vie

«Chers enfants, vous, de la paroisse *convertissez*-vous.» (8 mars 1984)

«Aujourd'hui, je suis joyeuse et je vous remercie de vos prières. Priez davantage ces jours-ci pour la *conversion* des pécheurs.» (2 août 1984)

«Jour après jour, je vous ai appelés au renouveau et à la prière dans votre paroisse, mais vous ne l'acceptez pas. Aujourd'hui, je vous y invite pour la dernière fois. C'est le temps du Carême et vous, en tant que paroisse, pouvez, pendant cette période, par amour pour mon appel, en prendre initiative. Si vous ne le faites pas, je ne souhaite plus vous donner de messages. Dieu Me le permet.» (21 février 1985)

«Aujourd'hui, je vous remercie de l'ouverture de vos cœurs. La joie m'envahit pour chaque cœur qui s'ouvre à Dieu, spécialement dans la paroisse. Réjouissez-vous avec moi. Dites toutes vos prières pour l'ouverture des cœurs des pécheurs. Je le veux, Dieu le veut à travers Moi.» (18 avril 1985)

«Non, vous ne savez pas combien Dieu vous accorde de grâces! Vous ne voulez pas vous mettre en mouvement en ces jours où l'Esprit Saint agit de façon particulière. Vos cœurs sont tournés vers les choses de la terre et elles vous préoccupent. Retournez vos cœurs vers la prière et demandez à l'Esprit Saint de vous envahir.» (9 mai 1985)

«Ces jours-ci, je vous invite spécialement à ouvrir vos cœurs à l'Esprit Saint qui agit à travers vous. Ouvrez vos cœurs et offrez votre vie à Jésus pour qu'Il agisse en vos cœurs et puisse vous fortifier dans la foi.» (23 mai 1958)

«Pour cette fête, je veux vous dire d'ouvrir vos cœurs au Seigneur de tous les cœurs. Donnez-moi toutes vos pensées et vos problèmes. Je veux vous consoler dans vos épreuves. Je voudrais vous combler de paix, de joie et d'amour de Dieu.» (20 juin 1985)

«Moi, votre Mère, je vous aime. Je désire vous inciter à la prière. Chers enfants, je ne me lasse jamais, je vous appelle même si vous êtes loin de mon cœur. Je suis Mère; j'ai mal à cause de mes enfants qui se perdent, mais je pardonne facilement et je me sens heureuse quand un de mes enfants revient vers Moi.» (14 novembre 1985)

«Je vous invite de nouveau à la prière du cœur. Si vous priez avec le cœur, chers enfants, la glace du cœur de vos frères fondra et les barrières disparaîtront. La *conversion* sera facile pour tous ceux qui veulent l'accueillir. C'est une faveur que vous devez implorer pour votre prochain.» (23 janvier 1986)

«Aujourd'hui, je vous invite tous à prier avec nous pour la réalisation des plans de Dieu et de ses désirs sur vous. Aidez les autres à se *convertir,* spécialement tous ceux qui viennent à Medjugorje. Chers enfants, ne permettez pas que Satan devienne le maître de vos cœurs parce que, dans ce cas, vous deviendriez l'image de Satan et non pas la mienne. Je vous invite à prier afin que vous soyez les témoins de ma présence. Sans vous, le Seigneur ne peut pas réaliser tout ce qu'Il désire. Le Seigneur vous a donné à tous une volonté libre et vous pouvez en disposer.» (30 janvier 1986)

«Ce Carême est pour vous un stimulant spécial pour un changement de vie. Commencez dès maintenant. Débranchez la télévision et laissez tomber les choses diverses qui ne nous sont pas utiles. Chers enfants, je vous invite à la *conversion* individuelle. Ce temps est pour vous.» (13 février 1986)

«Aujourd'hui, je vous invite à prier. Chers enfants, vous oubliez que vous êtes tous importants. En particulier, les anciens sont importants dans la famille. Incitez-les à prier. Que tous les jeunes soient un exemple de vie pour les autres et qu'ils témoignent de Jésus. Je vous prie de vous livrer à la prière et vous saurez ce que vous devez faire.» (24 avril 1986)

«Je vous supplie de commencer à changer votre vie dans la famille, Que la famille soit une fleur harmonieuse que je puisse offrir à Jésus. Que chaque famille soit active dans la prière afin de produire les fruits. Ainsi, je vous offrirai tous comme des pétales à Jésus pour la réalisation des plans de Dieu.» (1er mai 1986)

«Aujourd'hui, je vous invite à me donner votre cœur pour que je puisse le changer et qu'il devienne semblable à mon cœur. Vous vous demandez, chers enfants, pourquoi vous ne pouvez répondre à ce que je demande de vous. Vous ne pouvez pas parce que vous ne m'avez pas donné votre cœur pour que je le change. Vous dites et ne faites pas. Je vous invite à faire tout ce que je vous demande. Ainsi je serai avec vous.» (15 mai 1986)

«C'est pourquoi, chers enfants, priez, et de jour en jour changez de vie pour être saints.» (13 novembre 1986)

«C'est pourquoi, chers enfants, décidez-vous aujourd'hui de nouveau pour Dieu.» (27 novembre 1986)

«Priez, chers enfants, car ainsi vous pourrez connaître tout le mal qui est en vous et le livrer au Seigneur pour qu'Il puisse purifier vos cœurs complètement.» (4 décembre 1986)

À partir d'aujourd'hui, commencez à vivre d'une nouvelle vie.» (25 janvier 1987)

«Aujourd'hui Je désire vous envelopper de mon manteau et vous mener tous par le chemin de la *conversion*. Chers enfants, je vous prie de remettre au Seigneur tout votre passé, tout le mal qui s'est accumulé dans vos cœurs. Je veux que chacun de vous soit heureux, mais avec le péché, cela n'est jamais possible. Priez et vous connaîtrez dans la prière le chemin neuf de la joie. La joie se révélera à vos cœurs, ainsi vous serez les joyeux témoins de ce que mon Fils et Moi attendons de chacun de vous.» (25 février 1987)

«Je ne désire pas, chers enfants, que vivant les messages vous restiez en même temps dans le péché qui me déplaît. C'est pourquoi je désire que chacun de vous vive une vie nouvelle et ne détruise pas tout ce que Dieu crée en vous et vous donne. (25 mars 1987)

Le jeûne

«Je voudrais que le monde prie ces jours-ci à mes côtés. Et le plus possible. Qu'il *jeûne* rigoureusement le mercredi et le vendredi. Qu'il prie chaque jour au moins le Rosaire en méditant les mystères joyeux, douloureux et glorieux.» (14 août 1984)

«Aujourd'hui, je vous invite à commencer à *jeûner* avec le cœur. Il y a des personnes qui *jeûnent* parce qu'elles voient *jeûner* les autres. Le *jeûne* est devenu une habitude que personne ne veut interrompre. Je demande à la paroisse de *jeûner* pour remercier Dieu de m'avoir permis de rester aussi longtemps dans cette paroisse. Chers enfants, priez et *jeûnez* avec le cœur.» (20 septembre 1984)

«Je vous remercie de toutes vos prières. Je vous remercie de tous vos sacrifices. Je désire vous dire, chers enfants, de revivre les messages que je vous donne. Revivez surtout le *jeûne,* parce qu'avec le *jeûne,* vous allez Me réjouir et obtenir que se réalise entièrement le projet du Seigneur sur Medjugorje.» (26 septembre 1986)

«Aujourd'hui encore, je vous invite à la prière et au *jeûne.* Sachez, chers enfants, qu'avec votre aide je peux tout faire et empêcher Satan de vous induire en erreur et le contraindre à s'éloigner de cet endroit.» (4 septembre 1986)

«C'est pourquoi, chers enfants, priez sans arrêt et préparez vos cœurs dans la pénitence et le *jeûne.*» (4 décembre 1986)

L'amour

«Déjà je vous ai dit vous avoir choisis d'une façon particulière tels que vous êtes. Moi, la Mère, je vous *aime* tous. Et à chaque instant, quand l'heure est difficile, n'ayez pas peur. Car je vous *aime,* même lorsque vous êtes loin de mon Fils et de Moi. Je vous demande de ne pas permettre à mon cœur de verser des larmes de sang à cause des âmes qui se perdent par le péché. Pour cela, chers enfants, priez, priez, priez.» (24 mai 1984)

«Je vous remercie d'offrir toutes vos peines à Dieu et surtout en ce moment où Il vous éprouve dans les fruits que vous récoltez. Sachez, chers enfants, qu'Il vous *aime* et, pour cela, Il vous éprouve. Offrez toujours tous vos fardeaux à Dieu et ne vous faites pas de soucis.» (11 octobre 1984)

«Vous êtes le peuple élu et le Seigneur vous a donné beaucoup de grâces. Vous n'êtes pas conscients de chaque message que je vous donne. Maintenant, je voudrais vous dire seulement: priez, priez, priez. Je ne sais que vous dire d'autre, parce que je vous *aime* et je voudrais que vous connaissiez, dans la prière, mon *Amour* et l'*Amour* de Dieu.» (15 novembre 1984)

«Non, vous ne savez pas encore *aimer* et vous n'écoutez pas avec *amour* les paroles que je vous donne. Soyez conscients, mes *bien-aimés,* que je suis votre Mère et que je suis venue sur la terre pour vous apprendre à écouter avec *amour,* à prier avec *amour* et non pas contraints par la croix. Par la croix, Dieu se glorifie en chaque homme.» (29 novembre 1984)

«Vous savez que le temps de la joie approche et sans *amour* vous ne pouvez rien obtenir. C'est pourquoi, en premier, commencez à *aimer* votre famille, les gens de la paroisse, et alors vous pourrez *aimer* et accepter tous ceux qui viendront ici. Maintenant, que cette semaine soit la semaine où vous apprendrez à *aimer.*» (13 décembre 1984)

«Aujourd'hui aussi, je voudrais vous remercier pour tous vos sacrifices, et tout particulièrement j'adresse un merci à ceux qui sont devenus chers à mon cœur et qui viennent ici volontiers. Il y a des paroissiens qui sont indifférents aux messages, mais à cause de ceux qui sont près de mon cœur d'une manière spéciale, à cause d'eux, je continue à donner des messages à la paroisse. Et je continuerai à en donner parce que je vous *aime* et souhaite que vous les propagiez avec amour.» (10 janvier 1985)

«Jour après jour, je vous ai appelés au renouveau et à la prière dans votre paroisse, mais vous ne l'acceptez pas. Aujourd'hui, je vous y invite pour la dernière fois. C'est le temps du Carême et vous pouvez, pendant cette période, en réponse à mon appel, prendre l'initiative de les répandre. Si vous ne le faites pas, je ne souhaite plus vous donner de messages. Dieu me le permet.» (21 février 1985)

«Aujourd'hui, je vous invite à vivre au cours de la semaine ces paroles: «J'*aime* Dieu.» Chers enfants, vous obtiendrez tout par l'*Amour,* même ce que vous croyez impossible. Dieu veut que cette paroisse Lui appartienne entièrement. Moi aussi, je le souhaite.» (28 février 1985)

«Ces jours-ci, viendront dans la paroisse des gens de toutes les nations. Et maintenant, je vous invite à l'*amour. Aimez* d'abord les membres de votre famille, et ensuite vous pourrez accepter et *aimer* tous ceux qui viennent.» (6 juin 1985)

«Aujourd'hui, je vous donne un message pour vous appeler

à l'humilité. Ces jours-ci, vous avez ressenti une grande joie pour les gens qui venaient et vous leur avez raconté avec *amour* vos expériences. Maintenant je vous invite à continuer de parler avec humilité, le cœur ouvert à tous ceux qui passent.» (28 juin 1985)

«Je vous remercie pour chaque sacrifice que vous avez fait. Et maintenant, je vous incite à offrir tous vos renoncements avec *amour*. Je désire que ceux qui sont désemparés, commencent à aider avec confiance les pèlerins, et le Seigneur leur donnera dans la mesure de leur confiance.» (4 juillet 1985)

«Aujourd'hui, je vous bénis et je veux vous dire que je vous *aime*. Je vous engage à vivre mes messages. Aujourd'hui, je vous bénis tous, avec la bénédiction solennelle que le Très-Haut m'a accordée.» (15 août 1985)

«Aujourd'hui, j'aimerais vous dire que le Seigneur veut vous mettre à l'épreuve, mais que vous pouvez être vainqueurs par la prière. Dieu vous met à l'épreuve par les travaux de tous les jours. Maintenant, priez pour surmonter chaque épreuve. Dans toutes les épreuves que Dieu permet, sortez plus ouverts à Dieu et approchez Dieu avec plus d'*amour*.» (22 août 1985)

«Il y a un temps pour chaque chose. Aujourd'hui, je vous invite à commencer à travailler vos cœurs. Tous les travaux des champs sont terminés. Vous trouvez le temps de nettoyer les endroits les plus délaissés, mais vous laissez vos cœurs de côté. Travaillez davantage et nettoyez avec *amour* chaque recoin de vos cœurs.» (17 octobre 1985)

«Je désire de jour en jour vous revêtir de sainteté, de bonté, d'obéissance et d'*amour* pour Dieu, afin que, de jour en jour, vous puissiez être plus beaux aux yeux du Seigneur. Chers enfants, écoutez et vivez mes messages. Je veux vous guider.» (24 octobre 1985)

«Aujourd'hui, je vous invite à travailler dans l'Église. Je vous *aime* tous d'un même *amour* et, pour tous, je souhaite que chacun fasse son possible. Je sais, chers enfants, que vous le pouvez, mais vous ne le désirez pas, parce que vous vous sentez petits et faibles. Soyez courageux et avec de petites fleurs, contribuez à la sainteté de l'Église et au bon plaisir de Jésus.» (31 octobre 1985)

«Je vous invite à l'*amour* du prochain, surtout envers ceux qui font le mal. Ainsi, vous allez pouvoir juger les intentions des cœurs avec l'*amour*. Priez et *aimez*, chers enfants. Avec la force de l'*amour*, vous serez aussi capables d'accomplir les choses qui vous paraissent impossibles.» (7 novembre 1985)

«Ce temps est spécialement pour vous, de cette paroisse. Pendant l'été, vous avez beaucoup de travail. Maintenant, les travaux champêtres sont terminés, travaillez donc sur vous-mêmes. Venez à la messe, vous en avez le temps. Chers enfants, il y en a tellement qui viennent régulièrement malgré la mauvaise température, car ils m'*aiment* et veulent me prouver leur *amour* d'une manière spéciale. Je vous demande de montrer votre *amour* en venant à la messe, le Seigneur vous récompensera généreusement.» (21 novembre 1985)

«Je vous invite à vous préparer à la fête de Noël par la pénitence, la prière et des actes d'*amour*. Ne vous préoccupez pas, chers enfants, des choses matérielles, parce que vous seriez incapables de bien vivre la fête de Noël.» (5 décembre 1985)

«Aujourd'hui, j'*aimerais* vous inviter à l'*amour* du prochain. Si vous vouliez *aimer* votre prochain, vous goûteriez mieux Jésus, surtout le jour de Noël. Dieu vous accordera de grands dons si vous vous abandonnez à Lui. Au jour de Noël, j'*aimerais* donner ma bénédiction spéciale, maternelle aux mères et Jésus bénira les autres de sa bénédiction.» (19 décembre 1985)

«Je veux remercier ceux d'entre vous qui ont écouté mes messages et qui ont vécu au jour de Noël, ce que j'ai demandé. À partir de maintenant, vous êtes purifiés du péché et j'*aimerais* continuer à vous guider dans l'*amour*. Confiez-moi vos cœurs.» (26 décembre 1985)

«Aujourd'hui aussi, je vous invite à la prière; j'ai besoin de vos prières pour que Dieu soit glorifié à travers vous tous. Chers enfants, je vous prie d'écouter et de vivre mon appel maternel. Je vous invite, poussée par l'*amour,* afin de vous aider.» (16 janvier 1986)

«Je vous appelle à vivre le Carême en faisant de petits sacrifices. Merci pour chaque sacrifice que vous m'avez apporté. Chers enfants, continuez à vivre ainsi. Avec *amour,* aidez-moi à présenter l'offrande; Dieu vous en récompensera.» (13 mars 1986)

«Je désire vous remercier pour tous vos sacrifices et je vous invite à un plus grand sacrifice, le sacrifice de l'*amour.* Sans *amour,* vous ne pouvez accepter ni mon Fils, ni Moi. Sans *amour,* vous ne pouvez transmettre aux autres votre expérience. Pour cela, je vous invite, chers enfants, à commencer à vivre l'*amour* dans vos cœurs.» (27 mars 1986)

«Je désire vous inviter à vivre la Sainte Messe. Il y en a beaucoup parmi vous qui ont ressenti la beauté de la messe, mais il y en a d'autres qui n'y assistent pas volontiers. Je vous ai choisis, chers enfants, mais Jésus donne ses grâces pendant la messe. À cause de cela, vivez consciemment la Sainte Messe et que chaque messe soit pour vous pleine de joie. Venez avec *amour* et participez à la Sainte Messe.» (3 avril 1986)

«Je désire vous inviter à grandir dans l'amour. Une fleur ne peut pas, sans eau, croître normalement, de même vous, chers enfants, sans la bénédiction divine vous ne pouvez pas grandir. Vous devez nécessairement de jour en jour rechercher la bénédiction de Dieu pour grandir normalement et accomplir avec Dieu tout votre travail.» (10 avril 1986)

«Vous êtes responsables des messages. Ici est la source des grâces. Vous êtes, chers enfants, les vases qui transportez les dons. Voilà pourquoi je vous invite, chers enfants, à travailler à votre tâche avec responsabilité. Chacun aura à répondre de sa mesure. Donnez avec *amour* et sans réserve pour vous-mêmes.» (8 mai 1986)

«Aujourd'hui, je vous donne mon *amour.* Vous ne savez pas, chers enfants, comme est grand mon *amour* et vous ne savez pas l'accepter. De diverses manières, je désire vous le témoigner mais vous, vous ne le reconnaissez pas. Vous ne comprenez pas mes paroles avec le cœur et alors vous ne pouvez pas comprendre mon *amour.* Chers enfants, acceptez-Moi dans votre vie et vous pourrez accepter tout ce que je vous dis et ce à quoi je vous invite.» (22 mai 1986)

«Je vous invite tous à vivre l'*amour* envers Dieu et envers le prochain. Sans *amour,* chers enfants, vous ne pouvez rien. Voici pourquoi, je vous invite à vivre un *amour* réciproque, ainsi vous pourrez *aimer* et m'accepter, Moi et tous ceux qui sont autour de vous, tous ceux qui viennent dans votre paroisse. Tous percevront mon *amour* à travers vous. Je vous prie, chers enfants, de commencer à partir d'aujourd'hui à *aimer* d'un *amour* brûlant, l'*amour* avec lequel je vous *aime.*» (29 mai 1986)

«Aujourd'hui, je vous appelle à la sainteté. Vous ne pouvez pas vivre sans la sainteté. C'est pourquoi, avec l'*amour,* triomphez de chaque péché; avec l'*amour,* triomphez aussi de toutes les difficultés qui se présentent. Chers enfants, je vous prie de vivre l'*amour.*» (10 juillet 1986)

«En ce jour, je vous invite à réfléchir sur les raisons pour lesquelles je suis si longtemps avec vous. Je suis la médiatrice entre vous et Dieu. C'est pourquoi je vous invite à vivre toujours par *amour* tout ce que Dieu attend de vous. Chers enfants, en toute humilité, vivez tous les messages que je vous donne.» (17 juillet 1986)

«La haine engendre la discorde et elle ne voit ni personne ni chose. Je vous invite à toujours mettre la bonne entente et la paix, chers enfants, là où vous vivez. Agissez avec *amour.* Que votre unique moyen de défense soit toujours l'*amour.* Par l'*amour,* convertissez en bien tout ce que Satan désire détruire et s'approprier. Ainsi vous serez complètement à Moi et je pourrai vous aider.» (31 juillet 1986)

«Je vous remercie pour l'*amour* que vous me témoignez. Vous savez, chers enfants, que je vous *aime* infiniment et que je prie le Seigneur de vous aider à comprendre l'*amour* que je vous témoigne. C'est pourquoi, chers enfants, priez, priez, priez pour obtenir cette grâce.» (21 août 1986)

«Chers enfants, consacrez-vous à la prière avec un *amour* spécial, ainsi Dieu vous accordera des grâces.» (2 octobre 1986)

«Aujourd'hui encore, je désire vous montrer combien je vous *aime,* mais je regrette de ne pouvoir aider chacun de vous à comprendre mon *amour.*» (16 octobre 1986)

«Vivez pour mon *amour* tous les messages que je vous donne.» (30 octobre 1986)

«Chaque âme a besoin de prière et de grâce pour arriver à Dieu et à l'*amour* de Dieu.» (6 novembre 1986)

«Aujourd'hui encore, je vous invite à vivre et à suivre avec un *amour* particulier tous les messages que je vous donne. ... Vous savez que je vous *aime* et que je brûle d'*amour* pour vous. C'est pourquoi, chers enfants, décidez-vous aussi pour l'*amour* afin que de jour en jour vous brûliez d'amour pour Dieu et que vous connaissiez mieux l'*amour* de Dieu pour vous. Chers enfants, optez pour l'*amour* de Dieu afin que l'*amour* prédomine en vous.» (20 novembre 1986)

«Aujourd'hui encore, je vous appelle à me consacrer votre vie avec *amour* pour que je puisse vous guider avec *amour.* Je vous *aime,* chers enfants, d'un *amour* particulier et je désire vous conduire tous au ciel.» (27 novembre 1986)

«C'est pourquoi, chers enfants, priez sans arrêt et vivez tous les messages que je vous donne car Je fais cela avec un grand *amour* envers Dieu et envers vous.» (1er janvier 1987)

«J'appelle chacun de vous à commencer à vivre, à partir d'aujourd'hui, la vie que Dieu désire de vous. Continuez de faire des œuvres de charité et de miséricorde.» (25 mars 1987)

La famille

«Ce soir, je voudrais vous dire de prier durant les jours de cette neuvaine pour que l'Esprit Saint se répande sur vos *familles* et sur votre paroisse. Priez, vous ne le regretterez pas. Dieu vous fera des dons pour lesquels vous Le glorifierez jusqu'à la fin de votre vie terrestre.» (2 juin 1984)

«Vous avez contribué par vos prières à la réalisation de mes plans. Priez encore pour qu'ils s'accomplissent totalement. Je demande aux paroissiens de réciter le rosaire en *famille.*» (27 septembre 1984)

«Aujourd'hui, je vous demande de lire, chaque jour dans vos maisons, un passage de la Sainte Bible, et de la placer en évidence afin de penser à la lire et à prier.» (18 octobre 1984)

«Aujourd'hui, je vous invite au renouvellement de la prière dans vos maisons. Les travaux des champs sont terminés. Maintenant, consacrez-vous à la prière. Que la prière tienne la première place dans vos *familles.*» (1er novembre 1984)

«Ces jours-ci, je vous invite de nouveau à la prière en *famille.* Au nom de Dieu, je vous ai donné plusieurs fois des messages, mais vous ne m'avez pas écoutée. Ce Noël sera pour vous inoubliable, si vous acceptez les messages que je vous transmets. Chers enfants, ne permettez pas que le jour de la joie soit pour Moi le jour le plus triste.» (6 décembre 1984)

«Le temps de la joie approche et sans amour vous ne pouvez rien obtenir. C'est pourquoi, commencez à aimer votre *famille,* d'abord, les gens de la paroisse, et alors vous pourrez aimer et accepter tous ceux qui viendront du dehors. Que cette semaine soit la semaine où vous appreniez à aimer.» (13 décembre 1984)

«Aujourd'hui, je vous invite à faire quelque chose de concret pour Jésus Christ. Je voudrais que chaque *famille* de la paroisse apportât, en signe d'abandon, une fleur, jusqu'au jour de la joie. Je voudrais que chaque membre de la *famille* ait sa fleur près de la crèche, que Jésus puisse venir et voir votre abandon total à Lui.» (20 décembre 1984)

«Aujourd'hui, c'est le jour où je donne les messages pour la paroisse, mais tous les paroissiens n'acceptent pas les messages et ne les vivent pas. Je suis triste, et j'aimerais, chers enfants, que vous m'écoutiez et viviez mes messages. Chaque *famille* doit dire la prière en *famille* et lire la Bible.» (14 février 1985)

« Je vous invite à renouveler la prière dans vos *familles*. Chers enfants, encouragez les très jeunes à prier et à aller à la Sainte Messe. » (7 mars 1985)

« Aujourd'hui, je vous redis: priez, priez, priez ! Dans la prière vous connaîtrez la plus grande joie et le moyen de résoudre toute situation qui semble sans solution. Merci de progresser dans la prière. Chaque personne est chère à mon cœur et je remercie tous ceux d'entre vous qui ont ranimé la prière dans leur *famille*. » (28 mars 1985)

« Je vous invite à mettre plus d'objets bénits dans vos maisons, et que chaque membre de la famille en porte sur soi. Que tous les objets soient bénits. Ainsi, Satan vous tentera moins parce que vous aurez une armure contre Lui. » (18 juillet 1985)

« Je veux vous dire que ces jours-ci, la croix doit être au centre de votre vie. Priez spécialement devant la croix, d'où viennent de grandes grâces. Maintenant, faites dans vos maisons une consécration spéciale à la croix. Promettez de ne pas offenser Jésus ni la croix et de ne pas Le blasphémer. » (12 septembre 1985)

« Aujourd'hui, je vous invite à prier. Chers enfants, vous oubliez que vous êtes tous importants. En particulier, les anciens sont importants dans la *famille*. Incitez-les à prier. Que tous les jeunes soient un exemple de vie pour les autres et qu'ils témoignent pour Jésus. Chers enfants, je vous prie de commencer à changer à travers la prière et vous saurez ce que vous devez faire. » (24 avril 1986)

« Je vous prie de commencer à changer votre vie dans la *famille*. Que la *famille* soit une fleur harmonieuse que je puisse offrir à Jésus. Chers enfants, que chaque *famille* soit active dans la prière afin qu'un jour on voit aussi les fruits dans la *famille*. Alors, je vous offrirai tous comme des pétales à Jésus pour la réalisation des plans de Dieu. » (1er mai 1986)

« Je me réjouis à cause de ceux d'entre vous qui sont sur le chemin de la sainteté. Je vous invite à aider par votre témoignage ceux qui ne savent pas vivre saintement. C'est pourquoi, chers enfants, que votre *famille* soit ce lieu où fleurit la sainteté. Aidez tout le monde à vivre saintement, mais d'une façon particulière, tous les membres de votre propre famille.» (24 juillet 1986)

Satan

«Ces jours-ci, *Satan* voudrait entraver tous mes plans. Priez afin que son projet ne se réalise pas. Je prierai mon fils Jésus qu'Il vous donne la grâce de voir dans les épreuves de *Satan,* la victoire de Jésus.» (12 juillet 1984)

«Ces jours-ci, vous avez senti comment agit *Satan.* Je suis toujours avec vous. N'ayez pas peur des épreuves, car Dieu veille toujours sur vous. Je me suis donnée à vous et je compatis avec vous, dans les moindres épreuves.» (19 juillet 1984)

«Priez parce que *Satan* essaie continuellement d'embrouiller mes plans. Priez avec le cœur et offrez-vous à Jésus dans la prière.» (11 août 1984)

«Pour ce Noël, *Satan* a voulu de façon particulière troubler les plans divins. Vous avez, chers enfants, le jour même de Noël reconnu *Satan.* Mais Dieu a remporté la victoire dans tous vos cœurs. Que vos cœurs continuent d'être joyeux.» (27 décembre 1984)

Message donné à Vicka: «Mes chers enfants, *Satan* est si puissant et il emploie toute sa force pour faire obstacle à mes plans sur vous. Priez, priez sans cesse, et ne vous arrêtez pas un instant. Moi aussi, je prierai mon Fils afin que se réalisent tous mes plans. Soyez patients et persévérants dans vos prières! Ne vous laissez pas décourager par *Satan,* Il est très puissant en ce monde. Soyez prudents.» (14 janvier 1985)

«Ces jours-ci, *Satan* lutte sournoisement contre cette paroisse, et vous, chers enfants, vous vous êtes endormis dans la prière et peu nombreux sont ceux qui vont à la messe. Résistez aux jours d'épreuves.» (17 janvier 1985)

«Ces jours-ci, vous avez pu sentir la douceur divine à travers le renouveau qui s'est fait dans cette paroisse. *Satan* veut travailler encore plus fort pour enlever en chacun de vous la joie. Par la prière, vous pouvez le désarmer complètement et assurer votre bonheur.» (24 janvier 1985)

«Je vous appelle à une prière plus active et à une plus grande participation à la messe. Je désire que la messe soit pour vous une expérience de Dieu. Je veux dire spécialement aux jeunes: Soyez ouverts au Saint-Esprit parce que Dieu veut vous attirer à Lui en ces jours où *Satan* est actif.» (16 mai 1985)

«Je vous exhorte à inviter tout le monde à la prière du Rosaire. Avec le rosaire, vous vaincrez toutes les difficultés que *Satan* veut faire à l'Église catholique. Que les prêtres prient le rosaire, consacrent du temps au rosaire.» (25 juin 1985)

«J'aime la paroisse et je la protège, avec mon manteau, de chaque ruse de *Satan*. Priez pour que *Satan* s'enfuie de la paroisse et de chaque personne qui vient à la paroisse. De cette manière, vous serez capables d'entendre chaque appel de Dieu et d'y répondre par votre vie.» (11 juillet 1985)

«Je vous invite à mettre plus d'objets bénits dans vos maisons, et que chacun porte des objets bénits sur soi. Que tous les objets soient bénits. Ainsi, *Satan* vous tentera moins parce que vous aurez une armure contre Lui.» (18 juillet 1985)

«Je veux vous dire que j'ai choisi cette paroisse et que je la porte dans mes mains comme une petite fleur qui ne veut pas mourir. Je vous invite à vous abandonner à moi, afin que je puisse vous offrir à Dieu purs et sans péché. *Satan* a pris une partie du plan et veut le posséder. Priez pour qu'il ne réussisse pas, parce que je vous désire pour vous offrir à Dieu.» (1er août 1985)

«Aujourd'hui, je vous invite à commencer dès maintenant par la prière le combat contre *Satan*. Maintenant qu'il est conscient de mon activité, *Satan* désire agir davantage. Armez-vous contre *Satan* et vous vaincrez le rosaire à la main.» (8 août 1985)

«Je vous invite à la prière, particulièrement lorsque *Satan* veut se servir des récoltes de vos vignes. Priez pour qu'il ne réussisse pas son plan.» (29 août 1985)

« Aujourd'hui, je vous remercie de toutes vos prières. Priez continuellement et davantage pour que *Satan* s'éloigne de ce lieu. Chers enfants, le projet de *Satan* a échoué. Priez pour que le plan de Dieu se réalise dans cette paroisse. Je remercie spécialement les jeunes pour les sacrifices qu'ils ont offerts. » (5 septembre 1985)

« Je vous invite à aider Jésus de vos prières pour la réalisation de tous les plans qu'Il a déjà commencés ici. Offrez vos sacrifices à Jésus afin qu'Il réalise ses projets et que *Satan* soit confondu. » (9 janvier 1986)

« Aujourd'hui, je vous invite tous à prier pour la réalisation des plans de Dieu avec vous et à travers vous. Aidez les autres à se convertir, spécialement tous ceux qui viennent à Medjugorje. Chers enfants, ne permettez pas à *Satan* de devenir le maître de vos cœurs parce que vous deviendrez l'image de *Satan* et non pas la mienne. Je vous invite à prier afin que vous soyez les témoins de ma présence. Sans vous, le Seigneur ne peut réaliser tout ce qu'Il désire. Le Seigneur vous a donné à tous une volonté libre et vous pouvez en disposer. » (30 janvier 1986)

« La haine engendre la discorde et elle ne voit ni personne, ni chose. Je vous invite à toujours porter la bonne entente et la paix où vous vivez. Agissez avec amour. Que votre unique arme soit toujours l'amour. Par l'amour, convertissez en bien tout ce que *Satan* désire détruire et s'approprier. Ainsi, vous serez complètement à Moi et je pourrai vous aider. » (31 juillet 1986)

« Vous savez ce que je vous ai promis: une oasis de paix mais vous ignorez qu'à côté de l'oasis existe un désert où *Satan* épie et désire éprouver chacun d'entre vous. Chers enfants, c'est uniquement par la prière que vous pouvez triompher de l'influence de *Satan*. Là où vous êtes, je suis présente, mais je ne peux vous enlever votre liberté. » (7 août 1986)

« Aujourd'hui encore, je vous invite à la prière et au jeûne. Sachez qu'avec votre aide je peux tout faire et empêcher *Satan* de vous induire en erreur et même le contraindre à s'éloigner de cet endroit. *Satan* guette, chers enfants, chacun de vous. Il désire spécialement, dans les actes quotidiens, semer le doute dans votre âme. C'est pourquoi je vous invite à faire que votre journée ne soit que prière et abandon total à Dieu.» (4 septembre 1986)

«Je vous appelle par la prière et par votre vie à détruire le mal du cœur des hommes et à discerner le mensonge dont *Satan* se sert pour la perte des âmes (25 septembre 1986)

«Chers enfants, je vous invite à la prière et à l'abandon total à Dieu car *Satan* désire vous conquérir et occuper la première place dans votre vie.» (16 octobre 1986)

«Chers enfants, vous êtes prêts à faire le péché et à vous remettre dans les mains de *Satan* sans réflexion. Je vous appelle pour que chacun de vous se décide sciemment pour Dieu contre *Satan.* Je suis votre Mère, à cause de cela, je désire vous conduire tous à la sainteté tout entière.» (25 mai 1987)

La Sainteté

«Je vous invite à opter entièrement pour Dieu. Je vous prie, chers enfants, de vous donner totalement et vous serez capables de vivre tout ce que je vous dis. Il ne vous sera pas difficile de vous donner entièrement à Dieu.» (2 janvier 1986)

«Aujourd'hui, je vous appelle à la *sainteté.* Vous ne pouvez pas vivre sans la *sainteté.* C'est pourquoi, avec l'amour, triomphez de chaque péché; avec l'amour, triomphez aussi de toutes les difficultés qui se présentent.» (10 juillet 1986)

«Je me réjouis à cause de tous ceux d'entre vous qui sont sur le chemin de la *sainteté.* Je vous engage à aider par votre témoignage tous ceux qui ne savent pas vivre *saintement.* C'est pourquoi, chers enfants, que votre famille soit un lieu où naît la *sainteté.* Aidez tout le monde à vivre *saintement* et d'une façon particulière, tous les membres de votre propre famille.» (24 juillet 1986)

«Vous savez que je désire vous guider sur le chemin de la *sainteté.* Mais je ne veux pas vous contraindre par la force à devenir des *saints.* Je désire que chacun d'entre vous, par ses petits sacrifices m'aide et s'aide afin que je puisse vous guider et que vous soyez de jour en jour plus près de la *sainteté*. C'est pourquoi, chers enfants, je ne vous contrains pas à vivre les messages, mais ce temps prolongé avec vous est un signe que je vous aime incommensurablement et désire que chacun de vous soit *saint*.» (9 octobre 1986)

«Aujourd'hui aussi, je vous invite tous à prier de tout votre cœur ainsi qu'à améliorer votre vie de jour en jour. En particulier, je vous encourage, chers enfants, à vivre *saintement* par vos prières et vos sacrifices, car je veux que chacun qui a bu à cette source de grâces, parvienne au Paradis. C'est pourquoi, chers enfants, priez, et de jour en jour changez votre vie pour être *saints*.» (13 novembre 1986)

«Chers enfants, c'est pour vous apprendre à marcher sur le chemin de la *sainteté* que je reste si longtemps avec vous. C'est pourquoi il vous faut prier sans cesse et vivre tous les messages que Je vous transmets car Je fais cela avec un grand amour de Dieu et de vous-mêmes.» (1er janvier 1987)

«Je vous prie d'accepter à partir d'aujourd'hui le chemin de la *sainteté*. Je vous aime et c'est pourquoi je désire que vous soyez *saints*. Je ne voudrais pas que Satan vous arrête sur ce chemin. Chers enfants, priez et acceptez tout ce que Dieu vous offre sur ce chemin amer, car à celui qui commence à marcher dans cette voie, Dieu révèle toute sa douceur et celui-ci va répondre davantage à chaque appel de Dieu. Ne donnez pas d'importance aux petites choses et tendez vers le ciel.» (25 juillet 1987)

25 juin 1987 — sixième anniversaire des apparitions

Chers enfants,

Aujourd'hui je vous remercie et je désire tous vous appeler à la Paix de Dieu. Je désire que chacun de vous connaisse dans son cœur la paix que Dieu donne. Je veux tous vous bénir aujourd'hui. Je vous bénis tous de la bénédiction de Dieu et je vous prie chers enfants de vivre et de suivre ma voie. Je vous aime chers enfants. C'est pourquoi je vous ai appellés je ne sais combien de fois et je vous remercie de tout ce que vous faites à mes intentions. Aidez-moi je vous en prie pour que je puisse vous offrir à Dieu et que je puisse vous sauver et vous guider sur le chemin du Salut.

Merci d'avoir répondu à mon appel.

25 août 1987

Chers enfants,

Aujourd'hui encore, je vous appelle tous pour que chacun de vous se décide à vivre les messages. Dieu m'a permis aussi en cette ANNÉE QUE L'ÉGLISE M'A CONSACRÉE de pouvoir vous parler et vous inciter à la sainteté. Chers enfants, demandez à Dieu les grâces qu'il vous donne à travers Moi. Je suis prête à vous obtenir de Dieu tout ce que vous demandez pour que votre sainteté soit totale. C'est pourquoi, chers enfants, n'oubliez pas de demander, car le Seigneur m'a permis de vous obtenir des grâces.

Merci d'avoir répondu à mon appel.

Cinquième partie

Témoignage de Flaminio Piccoli

En parlant de Medjugorje et en relation avec ces événements, nous pourrions citer des milliers d'expériences semblables qui témoignent, parlent et décrivent les états d'âme, vécus là-bas dans la prière et la rencontre de Dieu.

Nous avons choisi de donner le témoignage d'un homme éminent qui est allé à Medjugorje comme simple pèlerin. Un homme d'âge mûr, *ex-ministre italien et président actuel de l'Union Internationale des Partis Démocrates-Chrétiens du monde entier: Flaminio Piccoli.* Il s'est rendu à Medjugorje deux fois, comme pèlerin anonyme. L'expérience qu'il a vécue, il l'a exprimée dans une déclaration publique qu'il a lui-même appelée: «Mon témoignage».

Voici ce qu'il en dit: «Certains journaux catholiques ont provoqué inquiétude et désarroi parmi les personnes qui, par des connaissances directes, ont été convaincues qu'il se passe, à Medjugorje, un phénomène extraordinaire. C'est pourquoi, je pense qu'il serait utile que je décrive ma propre expérience vécue là-bas à deux reprises et aussi mes rencontres avec les Franciscains et les voyants de Medjugorje.

«J'ai perçu Medjugorje comme un endroit de sérénité exceptionnelle et rien ne brise cette atmosphère! Une parfaite authenticité dans la foi et le culte, spontanéité et absence de contrainte m'ont véritablement touché. J'ai rencontré là, chez les gens, un désir profond pour la prière et la méditation qui pénètre la conscience des gens et conduit à la conversion.

« J'avais la faveur d'assister à des apparitions. Elles ne sont pas suggestives, mais j'affirme qu'on vit là le sentiment de se trouver devant un 'saut qualitatif' en présence des voyants qui ont un comportement de recueillement intense, sans aucune influence du milieu dans lequel ils se trouvent.

« On remarque le même comportement chez les personnes qui les entourent. L'expression du visage des voyants change tout d'un coup lorsqu'ils tombent en extase. Pendant l'apparition, chacun d'eux est recueilli à sa manière. Leur attitude durant l'extase est individuelle et propre à chacun. Une jeune fille montrait les signes d'une joie et d'un bonheur indescriptible, pendant que l'autre avait l'air triste. Le plus jeune des garçons (Jakov) avait l'air très sérieux, contrastant avec le comportement sympathique et vif qu'il a dans la vie courante comme n'importe quel autre garçon de son âge.

« Devant moi se déroulait un fait extraordinaire ! Pendant ma première visite, en sortant de l'église, un jeune m'a approché et m'a dit: 'Honorable Piccoli, je suis communiste. Je me trouve ici et j'ai prié aujourd'hui pour vous...' Je suis resté bouleversé ! Je lui ai répondu: 'Moi, j'ai prié pour mon pays.' Ce jeune homme est sociologue. Une relation humaine profonde est née entre nous. Ses lettres me remplissent de joie et j'y trouve une foi solide et vécue. »

Les fils de saint François

« J'ai eu l'occasion de rencontrer les Pères franciscains qui ont la charge de la paroisse. L'un d'eux, le Père Tomislav avait béni ma maison pendant son séjour en banlieue de Rome, dans une paroisse où il aidait à la pastorale. Je n'ai entendu d'eux aucune critique sur le compte de l'évêque. Tous reflètent une profonde spiritualité, respirent une grande paix et montrent une forte sensibilité pour la pastorale. Malgré tout l'évêque va déclarer: 'Nous nous trouvons devant un cas d'hallucinations collectives.'

Cependant aucune accusation contre deux Franciscains n'a été prouvée. Aucune, ni la moindre affirmation n'a démontré qu'il s'agissait de 'manipulations' ou de 'magie' sur des millions de fidèles qui s'y rendent. La vérité est tout autre! Différentes recherches médicales, menées par des scientifiques qui ne sont pas toujours arrogants, ont prouvé qu'à Medjugorje, il s'accomplit un mystère extraordinaire devant lequel la science est impuissante. Ce mystère porte des fruits réels et concrets: conversion, vie de prière, pénitence authentique, enseignement profond reçu par les pèlerins, soit par le témoignage des paroissiens, soit par les messages de Marie. Ces messages, dans leur simplicité, ont une telle force, qu'ils nous désarment et nous font découvrir notre pauvreté spirituelle. Ils donnent le remède aux plus grands maux et aux plus dangereuses déviations dont souffre l'humanité. »

Et l'avenir?

« Je vais retourner à Medjugorje. En tant qu'homme et chrétien, j'essaie de pénétrer le sens profond des messages de Marie qui demande à chacun d'aller jusqu'au bout de son propre devoir. Le mal dans le monde dépend aussi de nous. Tout acte immoral est en réalité un acte de guerre. Il ne provient pas d'un Américain ou d'un Soviétique, mais d'une série d'erreurs, de violations morales, de petits et de grands actes immoraux dont chaque homme, chaque femme, chaque jeune ou moins jeune est responsable. Tous ensemble et chacun pour soi.

«De Medjugorje, un appel maternel empressé nous a été adressé visant notre propre responsabilité. Là une grande richesse spirituelle se manifeste et offre aux pèlerins une force extraordinaire pour affronter la vie d'aujourd'hui. C'est le témoignage que je voulais offrir à tous les lecteurs. Je ne suis pas un 'faussaire'. Je considère que nous tous qui sommes allés dans ce petit village croate, nous apportons une preuve de plus pour l'authenticité des apparitions. Cette foi, maintenue à travers les siècles, nous a donné la force dans la souffrance, la persévérance dans le travail et une espérance inébranlable. Les scientifiques athées qui sont allés à Medjugorje remplis de doutes, ont reconnu dans ces événements merveilleux quelque chose d'extraordinaire qui échappe à la science. Est-il donc exagéré de demander aux médias chrétiens italiens d'ouvrir les oreilles à ce 'peuple de Dieu' en attendant que l'Église se prononce sur cet événement extraordinaire, ce phénomène qui convertit les athées, fortifie les croyants et offre à tous un sens profond des mystères chrétiens qui sont la source de tous nos engagements?»

Au nom de centaines d'autres, c'est Milona qui parle

On pourrait dire que c'est un témoin parmi tant d'autres, mais en même temps c'est un témoin qui a été choisi.

C'est tout simplement Milona Augsburg, née en 1958 à Munich dans la République Fédérale Allemande. Elle est la descendante directe des rois d'Augsburg. C'est une belle fille majeure qui a fréquenté plusieurs facultés et a obtenu entre autres un diplôme à l'université de Paris en 1982. Elle parle couramment six langues (allemand, français, anglais, italien, portugais et espagnol). Elle est en train d'apprendre le croate.

Milona dit qu'elle a grandi avec ses six frères et sœurs dans un milieu chrétien ordinaire. Elle a eu la chance de rencontrer pendant ses études (en particulier à Paris) un prêtre plus âgé, qui l'a guidée intensément dans sa vie spirituelle et l'a aidée à regarder avec plus de confiance les années à venir. Son avenir, elle le voyait dans un mariage solide et une vie familiale profonde. Mais pendant qu'elle étudiait le tourisme, le journalisme et les sciences politiques, elle n'avait pas le temps d'y réfléchir beaucoup.

Milona a eu des circonstances favorables pendant ses études (et même avant) de parcourir toute l'Europe en visitant sa nombreuse parenté royale. Cela lui a permis d'élargir ses connaissances du monde et de la vie qui l'entouraient. C'est alors qu'elle a entendu parler de Medjugorje. C'était en mai 1984.

Le 23 juin de cette même année, elle se trouve à Medjugorje. Elle y est allée sans aucune inspiration particulière, ni intention spéciale. Elle s'est jointe à un voyage en autobus, organisé par un de ses cousins.

Rien d'extraordinaire, pensait-elle! Mais dès son arrivée à Medjugorje, elle a commencé à changer rapidement. Trois jours après, elle ne ressemblait plus à celle d'hier. «Tout a changé en moi», dit Milona. Elle a pratiquement commencé à zéro. Sa conception de la vie chrétienne n'était plus la même. Elle en était surprise elle-même.

«On ne pouvait pas qualifier cela de hasard», pensait Milona. Elle commençait à prendre conscience, surtout après avoir assisté à une apparition, que quelque chose d'*indescriptible* venait de se produire en elle. Chaque jour cela devenait de plus en plus fort. Elle sentait clairement que Jésus et Marie ne l'attiraient pas vers eux, mais plus encore au-dedans d'eux! Elle était remplie d'une joie immense qu'elle ne connaissait pas, qu'elle n'avait jamais connue!

Milona raconte tout ce qui se passait en elle et comment tout à coup elle avait découvert une autre réalité. Ainsi, raconte-t-elle, une fois assise, à l'ombre de la grande croix de béton, au mont Krizevac, elle se sentait tout à fait sur «terre» mais à l'intérieur d'elle-même, elle «devenait de plus en plus petite avec le seul désir de se fondre en Dieu».

Après son premier séjour à Medjugorje, elle est rentrée chez elle, une flamme merveilleuse et extraordinaire brûlait dans son cœur, mais elle ne pouvait pas en parler à personne. Ni à ses frères, ni à ses sœurs, qui, semblait-il, n'auraient pas pu la comprendre. Ils s'apercevaient que quelque chose de nouveau et de singulier se passait en elle sans pouvoir pour autant en savoir plus. Elle était là, le cœur plein, incapable de le vider.

Dans cet état, elle décide d'aller de nouveau à Medjugorje. Et depuis, avec quelques brefs intervalles, elle y est pratiquement tout le temps. Si l'on comptait son séjour à Medjugorje, cela lui ferait au-delà de cinq cents jours. Et elle reconnaît se sentir de plus en plus heureuse. «Je ne peux pas décrire ce qui se passe en moi», dit Milona, «mais je sens vivre ici une rencontre tout à fait spéciale avec Jésus et sa Mère. Dans ma vie tout a changé. On pourrait dire que mes centres d'attraction ont été inversés. Avant cela, Jésus et Marie étaient dans mon cœur, mais ils faisaient partie de l'ensemble de mon vécu. Maintenant tout tourne autour d'eux. C'est inespéré! La volonté du Christ est devenue la raison de toutes mes activités. Je la cherche cette volonté et je la trouve dans sa Mère Marie.»

«Oui, comme c'est surprenant», s'écrie Milona, «ce changement en moi est miraculeux. Je le vois aussi chez les autres *jeunes* qui viennent ici à Medjugorje. La plupart sont là par curiosité, incrédules, mais ne peuvent pas résister à la Force qui agit ici. Cela fait quinze fois que je viens ici et j'y passe tout heureuse la majeure partie de mon temps. Tout d'abord pour m'approcher le plus près de Jésus et de sa Mère Marie. Je désire ici, accepter toutes les grâces qui s'offrent à moi. Dans l'espoir de ne pas me détourner d'Elle, je prolonge volontiers mon séjour ici.»

À la question, comment elle a vécu sa première assistance à une apparition, Milona nous répond: «J'ai récité le chapelet avec les autres et je sentais une paix profonde. Mais, au moment où la Vierge Marie est apparue, j'ai été très émue et alors je me suis sincèrement et totalement abandonnée à Elle. Je Lui ai demandé de m'enlever toute angoisse et misère qui pèsent sur mon âme. Je Lui balbutiai sans cesse, et avec persévérance: 'Prends tout, prends tout.' Alors j'ai senti qu'une tendresse infinie m'a touchée et à ce moment-là tous ces ennuis qui s'étaient accumulés en moi ont disparu. Tout ce poids est subitement tombé! Après cela», mentionne Milona, «pour la première fois, remplie de joie je pouvais répéter: 'Source de nos joies, priez pour nous' (invocation des Litanies).»

«En réalité pour la première fois, j'ai connu ce que signifie la joie. Ce jour-là, la Vierge Marie m'a libérée d'un grand poids. Je suis sûre qu'Elle le ferait pour tous ceux qui le demandent dans leur cœur. Depuis je vis chaque jour des expériences intérieures nouvelles qui, à travers des hauts et des bas, conduisent l'homme toujours plus près de son Dieu.»

« Ainsi je pense qu'ici à Medjugorje, Marie, notre Mère, donnera réponse à toutes les questions que les jeunes peuvent Lui poser. Elle leur fera comprendre où sont l'amour, la paix et la sérénité vers lesquels tend le cœur humain au plus profond de lui-même. Elle leur indiquera la voie directe qui conduit au Christ, le centre de toute vie. À vrai dire ce n'est pas quelque chose de tout à fait nouveau, mais cela vient en quelque sorte nous réveiller. Nous avons déjà eu des expériences semblables, mais incomplètes et froides. Ici nous obtenons des réponses que nous avons longtemps, longtemps cherchées. »

« Depuis un certain temps », raconte Milona, « la Vierge Marie m'a libérée des fortes pressions intérieures qui prenaient racine en moi. Concrètement, je ne pouvais pas pardonner à l'homme que j'aimais parce qu'il m'a fait du tort. Dans la prière et la méditation, ici à Medjugorje, j'ai compris que c'était possible de pardonner sans réserve aucune ! »

« C'était pendant la messe. Après l'Eucharistie, j'ai demandé à Jésus de m'aider à pardonner, c'est-à-dire de le faire à ma place. D'un coup cette difficulté a disparu. La tension intérieure de pardonner est tombée et j'ai pu lui pardonner de tout cœur. C'était pour moi, un pas de géant. J'ai compris qu'il est nécessaire de se reconnaître faible pour pouvoir pardonner les faiblesses des autres. » « Il suffit », dit Milona, « de dire: 'Seigneur, je ne le peux pas. Fais-le pour moi', et tout sera réglé. »

« À Medjugorje », reprend Milona, « j'ai été éclairée comme tant d'autres. Je me suis comprise dans ma chute comme dans ma montée. Tout, du plus grand bonheur jusqu'au désespoir, du sentiment d'abandon à celui de sécurité, tout ceci je l'ai vécu à Medjugorje. Ce n'est pas si simple, mais tout est possible dans le Seigneur. »

Milona a dit que sa vie a été complètement changée à Medjugorje. Ses désirs, ses projets pour la vie ne sont plus les mêmes. À son grand désir de fonder une famille, succède petit à petit l'intention sérieuse et le désir d'entrer au couvent, dans un couvent où les liens avec les choses terrestres sont rompus et ne reste que le désir de s'unir dans la prière à Dieu qui seul fait notre bonheur. Cette maturation continue de jour en jour. «Jamais» dit-elle, «on ne pourrait dire qu'aujourd'hui on n'a rien à faire, parce qu'on en a fait beaucoup hier. Si chaque jour, je vis pleinement ma rencontre avec le Seigneur, je continuerai à marcher dans cette voie.» Pour pouvoir avancer, il faut recommencer tous les jours. Avec Milona, nous pouvons répéter l'ancien proverbe: «Celui qui n'avance pas recule.» D'ailleurs, la vie quotidienne le confirme.

Milona aime toujours être présente aux apparitions; même après deux cents apparitions, c'est toujours nouveau! Pendant un certain temps, elle a été chargée de garder l'ordre dans la chambre des apparitions. «Maintenant», dit-elle, «j'attends la venue de la Vierge Marie avec plus de calme et de sérénité. Pour moi, c'est être ensemble. Toujours différent, mais toujours beau.» Elle dit que les membres de sa famille qui de temps à autre viennent à Medjugorje, ressentent quelque chose de semblable. Chaque fois, ils vivent quelque chose de profond et d'intime. D'une façon plus particulière ils vivent et découvrent les messages de la Vierge. «Les messages, ces paroles merveilleuses qui nous arrivent d'en haut, plus on les vit, plus on est rempli de joie.»

À la fin, Milona aimerait dire à tous ceux et celles de son âge: «Ne vous préoccupez pas avec tant d'angoisse pour le futur, pour l'argent, pour le travail. On peut vivre heureux sans se soucier de cela. À première vue, cela peut paraître vivre dans les nuages, mais si on s'abandonne et si on persiste sur ce chemin, la vie devient une réalité où beaucoup de choses restent au plan secondaire.»

«C'est une question de vie et tout le reste n'est qu'une partie du chemin vers le but qui nous attire et nous rend heureux. C'est pourquoi j'aimerais faire savoir, notamment aux jeunes de mon âge: vous pouvez être épargnés de tout malheur si vous vous confiez sincèrement au Seigneur. C'est Lui, la Réalité qui comble le cœur humain et lui donne la paix. Je sais que je ne suis pas appelée à vous donner des leçons, mais j'aimerais inviter les jeunes à venir à Medjugorje pour y découvrir la vraie voie dans la communion avec Jésus et sa Mère. Seulement, il faut avoir dans la tête qu'on ne va pas à Medjugorje comme on va dans une discothèque. Ici on cherche Dieu qui se manifeste et se donne volontiers à ceux qui le désirent vraiment. C'est le cadeau de Medjugorje. Et le bonheur de Medjugorje consiste dans la grâce que nous recevons pous nous sanctifier, pour nous ouvrir plus facilement à Dieu et expérimenter Sa Présence comme dans aucun autre lieu au monde. Je vous conseillerais de venir ici au moins trois ou quatre jours pour vous faire offrir cette grâce et cette paix qui coulent visiblement avec une telle force.»

Yanko Bubalo

«Marie, 'santé des malades'»

Il y a peu d'endroits où cette invocation des litanies des malades puisse être prononcée avec autant de sincérité qu'à Medjugorje. Tout ce que l'on dit ou tout ce que l'on écrit sur Medjugorje n'a de valeur que si ce n'est pour y découvrir comment Dieu et Marie y agissent et ce qu'Ils y font. C'est de plus en plus clair et visible que là, Ils renouvellent les hommes au niveau du corps et de l'esprit.

Les guérisons inattendues sur le plan spirituel sont les plus nombreuses et les plus fructueuses. Là, la Vierge Marie, de manière diversifiée, prépare le cœur des hommes pour recevoir Dieu qui s'offre toujours, mais ici plus abondamment encore. Pour savoir comment la Vierge Marie le fait, nous pourrions interroger des centaines et des milliers de personnes qui y ont été transformées et ne sont plus les mêmes.

Des réflexions du Père Rupcić à ce sujet pourraient aider à mieux comprendre. Il dit ceci: «Medjugorje se manifeste de plus en plus clairement comme un lieu de conversions et de transformations profondes chez les gens. Cette caractéristique l'élève au-dessus de tout autre lieu de pèlerinage au monde. Dans toute la Yougoslavie, et peut-être dans le monde, il n'existe pas une église fréquentée quotidiennement par tant de gens qui se convertissent, se confessent, communient comme celle de Medjugorje. Medjugorje, malgré tout, se confirme tout d'abord par cette acceptation des demandes parfois exigeantes de conversion, de prière, de jeûne et de réconciliation. Ce ne sont pas toujours des choses plaisantes qui s'offrent aux pèlerins de Medjugorje, mais elles n'effraient pas les gens. Les exigences sont sans compromis et coûtent cher, mais on les prend comme un remède. Des millions de gens du monde entier courent à cette recherche. Jusqu'à maintenant on compte un nombre impressionnant de six à sept millions de pèlerins. Parfois le chiffre atteint jusqu'à cent mille par jour! Parmi les pèlerins il y avait plusieurs milliers de prêtres, une quinzaine d'évêques et d'archevêques. À Medjugorje un million et demi de gens du monde entier ont eu accès à la confession individuelle, dont plusieurs après trente, quarante ans et plus.

«Il y a là quelque chose de puissant qui attire les gens de tous les coins du monde. Et ce ne sont pas les motifs humains, loin de là, car l'inaccessibilité de l'endroit, la pauvreté, le manque d'eau et de conditions hygiéniques les plus élémentaires pour une vie normale; les mauvaises communications, le manque de logements, l'opposition des autorités, les menaces, les discussions et l'exposition à des conséquences désagréables devraient avoir des effets néfastes. La vraie raison se trouve uniquement dans la force naturelle de l'appel que Dieu adresse de cet endroit-là, à tous les hommes. Cet appel a une telle force qu'il attire non seulement les catholiques mais aussi tous les chrétiens et même les non-chrétiens. Parmi eux un certain nombre de non-baptisés retourneront chez eux après avoir reçu le baptême. À cet appel irrésistible répondront les jeunes et les personnes âgées, les malades et les gens en santé. Nombreux sont ceux qui vont parcourir à pied au-delà de cent km pour s'y rendre. Les parents avouent être dépassés par leurs enfants dans la réponse à cet appel.

«À Medjugorje, les cérémonies habituelles de pèlerinage, comme la procession aux flambeaux et autres n'existent pas. Cela n'empêche pas une prière retentissante et des manifestations fortes de l'amour chrétien de façons multiples. L'Église, à Medjugorje, démontre une force juvénile et l'entousiasme de l'Église primitive de Jérusalem. Les cérémonies religieuses ne font ressortir aucune différence, encore moins des contradictions, quoique formées de races, de langues et de cultures diverses. De l'extérieur, on ne distingue pas l'évêque ou l'archevêque d'un prêtre, un religieux d'un laïc, une religieuse d'une femme mariée, une novice d'une fiancée, une personnalité politique d'un simple citoyen, un patron d'un ouvrier. Tous ne forment qu'un cœur et qu'une âme (Ac 4, 32) avec une fermeté égale dans la prière et le partage du pain (Ac 2, 46). C'est pourquoi l'archevêque de Split, Mgr F. Franić dira dans sa déclaration, que nulle part au monde, ni à Lourdes, ni à Fatima, il n'a vu de plus grande piété et que, pour la foi en Yougoslavie, Medjugorje a fait plus en trois ans que toute la pastorale en quarante ans.

« Ceux qui à Medjugorje ne voient pas la Vierge Marie directement, voient son reflet sur les voyants et les autres qui assistent aux apparitions. Celui qui n'a pas directement entendu ses messages, entend leur écho dans les cœurs et voit le comportement de centaines et de milliers de gens. C'est pourquoi quelqu'un dira: « Je ne sais pas si la Vierge Marie est apparue aux enfants, mais je vois qu'Elle est apparue à ce monde-là. » Quelqu'un d'autre encore: « Et s'il n'y avait aucune preuve pour authentifier ces apparitions de la Vierge Marie, ce monde en serait une. »

« À Medjugorje, il y a de moins en moins de curieux. La première importance n'est pas donnée aux guérisons physiques. La recherche uniquement visée sur les miracles (guérisons physiques) couvre la vue sur les plus grands dons de l'Esprit qu'on peut y obtenir. C'est précisément cette expérience qui change l'homme curieux en « celui qui croit ». Les désespérés obtiennent l'espérance dans les biens plus grands encore que ceux qu'ils désiraient. À Medjugorje les gens commencent à voir avec les yeux de la FOI. Et cela change tout. Dans la foi, les connaissances antérieures pâlissent et se montrent insuffisantes, unilatérales et incomplètes. La foi rend nos maladies et nos misères plus transparentes. Les gens réalisent ici que c'est mieux d'y trouver la foi que la vue. La maladie, si elle n'est pas guérie, perd son aiguillon et les malades reçoivent la grâce de l'accepter.

« La prière, la réception des sacrements, les veillées et le jeûne prouvent qu'un changement s'est produit, que les malades ont été guéris, c'est-à-dire rachetés. On voit sur les pèlerins les effets du repentir, de la conversion et de la purification. Ce qui ne change pas les cœurs ici, n'a pas de valeur. Tous ceux qui pensaient autrement, ont été dissuadés. Personne ne cherche plus de l'eau magique ou des bougies pour obtenir à travers cela des choses temporelles ou la santé. S'il y en a toujours qui continuent à chercher ces dons, c'est le signe que la guérison intérieure a été obtenue et c'est une façon de remercier pour la grâce de la conversion et la transformation du cœur.

«Les gens abandonnent les moyens faciles, trop simples et peu coûteux et ils recherchent ceux qui vont guérir *radicalement* leur cœur, leur intelligence et la paralysie de leur esprit aveuglé. Non, à Medjugorje, il n'y a pas de magie bien qu'il pourrait facilement y en avoir. Là, à travers la Vierge Marie, le Christ fait aux innombrables et incurables malades ce qu'Il a déjà fait en le confirmant: «Ta foi t'a sauvé» (Jn 18, 42). La magie n'a rien à voir avec le changement de vie qui s'ensuit. Après, la guérison intérieure témoigne qu'il ne peut s'agir de magie, laquelle exploiterait Dieu, sans aucun changement dans l'homme. Ici les gens prient pour la conversion, pour le discernement et la force de pouvoir porter leur croix et suivre le Christ.

«Personne ne part de Medjugorje les mains vides, ni sans miracle en lui. Tous retournent régénérés et apportent chez eux un cœur nouveau, des arguments nouveaux et une force nouvelle. Celui qui n'a pas été guéri a obtenu la force de dépasser sa difficulté. Le «Je ne peux pas» (d'autrefois) pardonner, supporter la souffrance et la maladie, prier, changer, abandonner la boisson, ne pas blasphémer, rejeter les anciennes habitudes, être plus près de son époux ou de son épouse, a été changé dans un «oui» fort de la foi, ce «oui» qui remplace toutes ces négations et les transforme en bonnes actions et en conversion. Celui qui n'a pas été exaucé, sera récompensé par une joie profonde; ceux qui auparavant pleuraient et désespéraient sur leur destinée, ont été convaincus qu'ils ne sont pas abandonnés à un quelconque destin et condamnés à une mort absurde, mais bien au contraire désignés pour la Vie. C'est pourquoi la joie remplace les pleurs et l'espérance, le désespoir. Et ceux qui n'ont pas obtenu la guérison physique, remercient; ceux qui ne savaient pas prier, prient; ceux qui étaient prisonniers du péché se sentent libérés. Ce sont les expériences extraordinaires de tous ceux qui ont passé par Medjugorje. C'est pourquoi, la plupart reviennent volontiers à Medjugorje pour y rester des jours et des mois.»

Medjugorje grandit et se développe davantage du fait que les corps humains y sont régénérés. Personne ne sait le nombre des guérisons physiques, car Medjugorje ne cherche pas à se justifier par ces guérisons. Il vit de la grâce que Dieu et Marie y prodiguent en abondance. Mais, nous allons quand même vous parler d'une guérison récente. Elle nous a été racontée par la femme qui a été guérie.

Elle s'appelle, a-t-elle dit, Agnès HEUPEL. Elle est née le 29 janvier 1951 à Munster en Westphalie en Allemagne occidentale. Elle a terminé ses études avec un diplôme d'état comme infirmière. Elle a travaillé à Bad Kimuger, Kromach et Donsten, où elle est tombée malade souffrant d'ostéoporose en traitant une grande malade. Son état s'aggravait et ne s'est pas amélioré, même suite à deux graves opérations. La paralysie de ses membres qui la faisait souffrir s'aggravait. On a essayé d'agir sur le centre de la douleur, mais sans succès. Avec le temps d'autres complications s'ajoutaient, telles que des douleurs à la vessie et aux intestins. Elle n'avait plus recours qu'aux deux béquilles qu'on lui a données. Bien sûr on a tenté toutes sortes de moyens, mais sans succès. Elle avait fini par obtenir la pension d'invalide et il ne lui restait rien d'autre que de compter ses jours.

Comment avait-elle pris tout cela? Agnès nous l'a fait savoir dans une seule phrase: «Pour moi tout était fini.» Il y a deux ans Agnès était allée à Fatima. Là, lorsque le prêtre lui avait donné la bénédiction du Très Saint-Sacrement, soudainement elle avait pu s'agenouiller, mais après, tout était redevenu comme avant, nous dit Agnès. Pendant ces jours difficiles, son mariage, contracté le 5 octobre 1973, s'est brisé au moment où elle avait le plus besoin d'aide. Son mari, dès le début de sa maladie, l'a tout simplement «oubliée». Après sa deuxième opération, elle est retournée vivre chez ses parents. Étant donné qu'elle ne pouvait rien faire, elle s'est mise à lire. Elle nous a dit qu'elle avait même commencé à étudier la théologie. À la question, si à ce moment-là elle pouvait «prier», Agnès nous répond: «Oui et non! J'avais tout simplement perdu ma relation avec la prière pendant mon malheureux mariage. Mon mari ne voulait pas prier et puis...»

L'état de santé d'Agnès empirait. On a établi son diagnostic comme étant une ostéoporose aiguë. C'est ainsi que ses jours s'écoulaient sans espoir. «Le 24 janvier 1984 dans mon sommeil, ou peut-être demi-sommeil, j'avais vu la Mère de Dieu», raconte Agnès. Elle lui montrait un endroit avec une bâtisse blanche et lui disait: «Regarde ceci, c'est Medjugorje.» C'était la première fois qu'elle entendait parler de Medjugorje. Jamais elle ne pouvait penser à cela car elle ne connaissait pas Medjugorje. Personne autour d'elle n'en parlait. Elle en était confuse.

Au début du mois de mars 1986, à Borghorst, elle assista à une messe célébrée par le Père Slavko Barbarić. Après la messe, elle était allée lui parler. Alors le Père Slavko avait prié sur elle. C'était pour elle, depuis longtemps, un jour où elle n'avait pas pleuré. De plus en plus elle pensait à Medjugorje. Le 1er mai, après un long voyage de quatre jours elle avait atteint le but de son voyage. Elle était arrivée pendant l'office du soir. Elle y participa pieusement surtout pendant la prière sur les malades, qui a lieu à Medjugorje tous les jours. Puis elle alla se chercher un logement.

Le père Slavko, bien sûr, était son seul appui, mais elle s'était vite débrouillée et avait pris des contacts. De jour en jour, elle allait à l'église et priait. Elle dit avoir beaucoup prié comme pour se préparer à ce qui devait lui arriver, et en même temps s'être demandée: «Que veux-tu? Que cherches-tu ici?» Des pensées semblables tournaient tout le temps dans sa tête. Enfin le grand jour était arrivé, le 12 mai.

Depuis le matin du 13 mai 1986 le Père Slavko lui avait permis de pouvoir assister à l'apparition du soir. Très émue, pratiquement toute la journée, elle tournait autour de l'église. Elle priait et méditait, mais il n'y avait personne avec qui elle pouvait échanger. Le temps passait. Il était déjà cinq heures, cinq heures et demie de l'après-midi. Dans la prière commençait la préparation pour l'apparition. «Je me sentais complètement épuisée», disait Agnès. «J'aurais voulu me retourner et me sauver. D'un autre côté, je désirais être là-dedans. Je le désirais à tout prix. Finalement après tant de peines, je suis montée dans la chambre des apparitions. J'ai été toute troublée, sans pouvoir prier.

Lorsque le chapelet récité par les voyants a commencé, je n'étais pas du tout 'présente'.»

«Et voici le moment venu de l'apparition. Le sentiment de trouble et de nervosité disparut instantanément. D'un seul coup, je devins calme et je sentis le froid autour de ma bouche. Alors quelque chose commençait à me brûler, à me piquer... À ce moment-là, je ne priais pas pour moi, je priais pour les miens à qui je l'avais promis. Ensuite, du divan où je m'étais assise, je tombai à genoux. C'était la première fois, depuis longtemps. Je me suis jetée à genoux consciemment, comme si je préparais le chemin pour ce qui devait suivre... C'est très difficile à expliquer. Non pas que j'aie vu quelque chose! Mais au plus profond de moi, il se passait tellement de choses... C'était comme le temps au ralenti. J'avais perdu la notion du temps.

— Autour de moi, tout m'était égal.

— Je me sentais en quelque sorte isolée.

— Oui, totalement isolée!»

— Ensuite que s'est-il passé?

— «Lorsque cela commença à me «brûler» sur le visage, je sentis un courant chaud qui me traversait de haut en bas et couvrait tout mon corps... Je ne sais pas comment décrire ce phénomène.»

— Bien, c'était ça, mais qu'as-tu fait après l'apparition?

— «Tout d'abord, j'ai pensé au Père Slavko. Étant donné que j'étais assise au bout du divan, je me suis levée et suis allée vers lui. Il se tenait près de la porte et me disait: 'Là! Là!' Il me l'a répété encore une fois avant que je réalise qu'il me parlait des béquilles. J'ai pris les béquilles et au même moment quelque chose a déclenché 'en moi'. J'ai pris une grande respiration, j'ai mis ma main sur la bouche et je me suis envolée comme un oiseau dans l'air! Je me souviens bien. Lorsque je suis passée devant le Père Slavko, il était toujours à la porte et me regardait surpris. Je lui ai dit que j'aurais oublié les béquilles s'il n'avait pas été là. J'ai descendu l'escalier...»

— Et alors?

— «Je ne savais que faire avec mes béquilles. Beaucoup de gens m'ont approchée et m'ont photographiée. Ensuite j'allai déposer mes béquilles dans la voiture et j'entrai dans l'église. Je filais tout droit à travers la foule. Quelques connaissances m'ont tirée dans un banc pour me demander de nouveau ce que j'avais fait de mes béquilles. Seulement alors, il devint clair pour moi que je n'avais plus besoin de mes béquilles! Je marchais tout simplement! J'ai commencé à trembler et j'ai senti un malaise. J'ai commencé à pleurer d'émotion... Le lendemain, je suis allée à la colline des apparitions. Une jeune anglaise me tenait par la main. Au retour je n'avais pas besoin d'aide. Elle ne pouvait pas me suivre. Le deuxième jour, je suis allée au mont Krizevac. Nous étions trois. J'étais la première pour monter et descendre. Je n'avais ni douleurs, ni crampes musculaires, ce qui, à tout le monde et à moi-même, semblait anormal. C'était mes premiers pas libres depuis douze ans.»

— Comment avais-tu compris et accepté tout cela?

— «J'ai d'abord dit au Père Slavko que, d'après moi, j'aurais la force, chez moi aussi, de me passer de béquilles, mais je ne voyais pas clairement comment tout cela allait progresser.»

— À qui attribuais-tu ta guérison?

— «Cela n'est pas basé sur aucun effort personnel. Par après, j'ai compris qu'on ne me demandait qu'une confiance totale.»

— Et maintenant ta relation avec Dieu et la prière?

— «Beaucoup de choses ont changé à fond, envers Dieu et la prière! Il s'est produit quelque chose qu'on pourrait appeler le changement des 'pôles'. Dieu ne fait pas les choses à moitié, c'est pourquoi Il exige la confiance absolue. Il s'agit donc d'une guérison complète. Mais on n'y arrive pas d'un seul coup. Tout se déroule à un rythme connu de Dieu seul.»

— Comment vois-tu maintenant les gens autour de toi?

— «Je les vois terriblement pressés. Pourquoi, en général, sont-ils ici, s'ils se comportent ainsi? Envers la majorité, surtout envers les handicapés, j'ai changé mes rapports, car je me vois toujours en eux. Il y a beaucoup de choses qui 'm'interpellent', mais je n'en parle pas à tout le monde. Parfois je dois le dire à ceux qui en ont besoin, pour qu'ils ne perdent pas l'espoir et la confiance en Dieu.»

— C'est bien tout cela, Agnès, mais tu as prolongé ton séjour à Medjugorje?

— «Je pensais rester jusqu'au 24 mai, mais maintenant, il me semble que je dois encore laisser quelque chose ici. La vraie raison se trouve en moi. J'ai comme la conviction qu'il doit se produire encore quelque chose en moi. Et ceci est en train de se réaliser...»

— As-tu contacté ta mère?

— «Bien sûr! J'ai écrit aussi à mes amis. J'ai tout fait savoir à mon médecin.»

— Que fais-tu maintenant à Medjugorje?

— «Je prie, je n'ai jamais autant prié. C'est merveilleux lorsque j'arrive à me cacher dans un coin pour prier. Je ne fais pas cela par obligation, mais parce que mon âme l'exige.»

C'est de cette manière que s'écoulaient et s'écoulent encore les jours d'Agnès.

À la fin d'octobre, elle a fait une déclaration à la presse allemande dans laquelle elle dit entre autre: «Jusqu'à ce jour, je me sens bien. Pour les médecins, au point de vue humain et médical, c'est incompréhensible. Je n'éprouve plus de difficultés avec mes jambes. Mes poumons, non plus, ne montrent rien de mes anciennes misères. Ma mémoire, qui était affaiblie, fonctionne maintenant à merveille. Cette guérison pour moi est un don purement gratuit. Je ne suis même pas allée à Medjugorje pour chercher ma guérison, mais plutôt parce que j'ai senti un appel très fort en moi. Avec son amour, Dieu m'a approchée si près que je ressens toujours et à nouveau sa présence. Notre cheminement avec Lui n'est jamais fini... Le plus important c'est de s'ouvrir à son amour.

Je ne donne ce témoignage que par amour pour Dieu afin de montrer à tous les hommes son souci envers eux. Je veux aussi rendre témoignage à ma Mère la Vierge Marie dont la main nous présente la paix. »

Après cette déclaration qu'Agnès Heupel a donnée pour le public le 24 août 1986, il est inutile de donner une autre conclusion sur l'action de Dieu et de la Vierge Marie à Medjugorje. En terminant, nous pourrions ajouter à ce chapitre le beau denier de deux béquilles qu'Agnès a laissées à Medjugorje.

Yanko Bubalo

À Medjugorje, Marie communique son message à chaque pèlerin

Au cours des dernières années, chacun de nous a entendu parler à travers les médias d'information des apparitions de la Bienheureuse Vierge Marie à Medjugorje. Comme plusieurs d'entre nous, je caressais l'espoir de pouvoir m'y rendre un jour. L'occasion se présenta inopinément en octobre 1986. Je devais d'une part, être à Londres le 13 octobre pour donner une série de conférences sur les résultats de la recherche du Réseau Interhospitalier de Cancérologie de l'Université de Montréal dans le traitement du cancer de l'endomètre. D'autre part, mon épouse et moi devions accompagner notre mère à Alexandrie, en Égypte. Nous avons alors spontanément décidé que Medjugorje serait sur notre itinéraire entre le Caire et Londres.

C'est ainsi que le jeudi 9 octobre, par une matinée radieuse, nous nous trouvions à rouler sur l'autoroute serpentée de l'Adriatique qui mène vers cette *TERRE BÉNIE* de Medjugorje. Ne sachant pas comment s'y rendre, nous avons suivi un autocar qui menait justement un groupe de pèlerins québécois accompagnés de leur guide, Madame Klanac, à la même destination. Ce qui est étonnant, c'est que notre pèlerinage non planifié coïncida avec les dates d'arrivée des pèlerins montréalais. Et d'autre part, je rencontrai à Medjugorje mon ami le Père Armand Girard, de l'équipe pastorale de l'Hôpital Notre-Dame, ainsi que son frère le Père Guy Girard.

Comment vous décrire mes premières impressions à notre arrivée à Medjugorje? Ce n'est pas un hameau, mais plutôt une *oasis de paix* et de douceur entourée de montagnes plutôt arides. Aux différentes maisons paysannes où nous nous sommes arrêtés, nous étions accueillis par des villageois souriants et simples.

Le premier après-midi, nous nous sommes rendus à la maison paroissiale où nous nous sommes mêlés aux pèlerins pour réciter le chapelet dans la petite cour à l'arrière de la chambre où ont lieu les apparitions. Tout à coup, un grand silence et recueillement se fit dès qu'une lampe s'alluma dans la petite chambre des apparitions. Ceci correspond avec le moment de l'apparition de la Vierge Marie aux voyants. Quelques minutes plus tard, nous avons eu le bonheur d'apercevoir Marija et Jakov quitter furtivement la maison paroissiale. Ce n'est que le surlendemain que je sus, par le Père Slavko Barbarić, le message que Notre-Dame nous avait donné par l'entremise de ces jeunes, en ce jeudi 9 octobre. Nous avons ensuite assisté, à la paroisse St-Jacques, à la grand messe concélébrée. Lors de la Prière Eucharistique, le Père Armand Girard nous enjoigna de prier pour le succès de la Journée Internationale de la Paix qui devait se dérouler sous les auspices de Sa Sainteté Jean-Paul II, à Assise, le 24 octobre. J'ai alors pensé au Liban où sévit une guerre civile atroce depuis douze ans... Quelques minutes après, ce fut avec émotion que je recevais la sainte communion des mains du Père Tomislav Vlasić, ancien vicaire de la paroisse Saint-Jacques. La nuit tombait rapidement. C'est le cœur rempli de tout ce que nous avions vécu que nous quittâmes Medjugorje pour aller souper et dormir à Cituk, petit village avoisinant.

Le vendredi, 10 octobre, fut une journée mémorable durant laquelle une série d'événements heureux se sont succédés jusque tard dans la soirée. Tôt le matin, nous avons rejoint le groupe des pèlerins québécois mené par Madame Daria Klanac. Le pèlerinage a débuté en passant par la maison de la voyante Vicka, qui avait à ce moment-là une troisième pause (absence d'apparition). Elle était là, avec son sourire radieux, parlant à un groupe de pèlerins. Malgré qu'elle saluait et serrait les mains de centaines de pèlerins, elle ne se départissait pas de sa sérénité. Après avoir pris quelques photos souvenirs, je lui demandais, par l'entremise de notre guide-interprète, Madame Klanac, quel est le message le plus important de Notre-Dame. Très simplement, elle m'a répondu qu'il n'y en a pas qu'un seul..., il y en a plusieurs qui portent sur la prière, la pénitence, le jeûne, la communion, la conversion et la réconciliation.

Ce fut ensuite l'escalade de la colline des premières apparitions (colline de Podbrdo) sous le soleil de midi. Arrivé au sommet, à l'endroit même où la Vierge Marie avait initialement apparu aux jeunes voyants, on apercevait une multitude de croix plantées par les pèlerins et brodées d'invocations et d'images de Notre-Dame. Nous nous sommes alors recueillis et avons récité ensemble sept «Notre Père», «Je vous salue Marie», «Gloire au Père» et le «Je crois en Dieu». Nous avons ensuite chanté l'Ave Maria tout au long. On sentait planer dans l'atmosphère une grande paix mêlée d'une brise de fraîcheur. Près du sommet, un jeune peintre changeait des cailloux en pierres-souvenirs avec des invocations écrites en lettres dorées. Elles étaient étalées et mises à la disposition des pèlerins. Il ne demandait et ne vendait rien. Il était tout pris par sa peinture et la douceur du site. En juin 1986, lors du cinquième anniversaire des apparitions, on érigea une belle croix au milieu de cette colline avec une inscription spéciale en croate qui se lit ainsi: «Je crois à la Lumière Éternelle. Laisse-toi tout entier pénétrer par Elle. Bientôt vous allez tous venir à Moi, tous jusqu'au dernier. Pensez avec quelles bonnes œuvres vous allez vous présenter à Moi.»

En descendant la colline, nous avons passé chez Ivanka, l'une des voyantes qui connaît les dix secrets, mais qui ne voit plus la Très Sainte Vierge qu'une fois par année à l'anniversaire des apparitions en juin. Elle avait le même visage radieux et serein que j'avais remarqué chez Vicka. Pendant que la plupart des pèlerins prenaient un instant de repos, j'allais avec Madame Klanac et le Père Armand Girard voir Marija qui travaillait dans les champs. Marija qui continue à voir la Vierge Marie quotidiennement est différente des autres voyantes. Elle est plus réservée et plus soucieuse. Tous les «phares» sont braqués sur elle et Jakov. Elle est cependant aussi simple que les autres et répond aux questions qu'on lui pose avec une franchise et une transparence qui nous étonnent. À une Irlandaise qui lui demandait de bénir quelques souvenirs achetés, elle lui dit: «Ce n'est pas à moi de bénir vos images. Allez à l'église et un prêtre les bénira.»

Il était déjà quinze heures et la plupart des pèlerins décidèrent de prendre quelques instants de repos. À la porte de notre pension, nous avons rencontré Jelena Vasilij. C'est une jeune de quatorze ans qui voit Notre-Dame dans son cœur. Marie a déclaré à Jelena: «Je viens près de toi d'une manière différente de celle des autres, non pour révéler par toi des choses au monde, mais plutôt pour te conduire sur le chemin de la consécration et de la sainteté.»

Vers seize heures, nous avons été, Jocelyne et moi, prendre une bouchée dans un petit restaurant «La Palma». Pendant que je me demandais si j'allais jeûner ou non, quelle ne fut pas ma surprise d'entendre un vieux prêtre américain interpeller le serveur avec un accent du Midwest: «Bring me, please, two portions of bread and water[1].» J'étais amusé et heureux de voir tant de foi. Cela alors me décida de suivre l'exemple du curé et de me contenter pour déjeuner de pain et d'eau.

À 17 heures, grâce aux recommandations de Madame Klanac et des Pères Armand et Guy Girard, je me suis retrouvé parmi un grand nombre de prêtres et quelques laïcs dans la chambre des apparitions à la maison paroissiale. J'étais fortement ému d'avoir obtenu ce privilège et je récitais avec ferveur le chapelet. Quelques minutes plus tard, Marija et Jakov accompagnés du Père Slavko se joignirent à nous. Agenouillés, ils commencèrent à réciter le rosaire en croate. Au milieu de la récitation du troisième mystère douloureux, Marija et Jakov se levèrent lentement et se placèrent face au mur, près du canapé où étaient posés les différents objets à bénir. On alluma la lumière et là, ils étaient de nouveau agenouillés les yeux levés en haut. Leurs visages étaient radieux; Notre-Dame était là. Leurs lèvres remuaient, mais il n'y avait aucun son. Ces instants mémorables passèrent si rapidement que je n'arrivais pas à reprendre mes esprits. J'étais là, de

1. «Apportez-moi, s'il vous plaît, deux portions de pain et de l'eau.»

nouveau avec les pèlerins, leur distribuant les objets-souvenirs bénits par Notre-Dame. Accompagné de Jocelyne, nous nous sommes ensuite dirigés vers l'église où nous avons assisté à la messe et à l'adoration de la Sainte Croix.

Le soir, à 20 heures, un groupe restreint de pèlerins italiens et québécois avait rendez-vous au pied du Mont Krizevac. Notre-Dame avait en effet demandé à Marija qu'elle se rende pour prier au sommet de ce mont avec son groupe de prière. Marija avait obtenu la permission de Notre-Dame de se faire accompagner d'une vingtaine de pèlerins. Les pentes ascendantes étaient raides et jonchées de pierres ciselées et glissantes. Nous nous sommes arrêtés aux quatorze stations du chemin de la croix pour réciter le chapelet avant d'arriver au sommet. À la sixième station, Jocelyne commença à perdre ses forces et décida de s'arrêter là. Je décidai de rester auprès d'elle, car nous étions essouflés et exténués. Soudain, un jeune Italien du groupe de Marija ainsi qu'une dame revinrent sur leurs pas et nous encouragèrent à continuer la montée. Ils nous aidèrent admirablement et quelques instants plus tard, nous nous retrouvions au sommet du Mont Krizevac où une croix énorme en béton surplombe toute la montagne. Il ne m'a jamais semblé être aussi près des étoiles. Marija nous entraîna à la récitation du Rosaire. Ce fut ensuite l'apparition de Notre-Dame à Marija. La montagne était silencieuse et les pèlerins étaient tous à genoux sur des pierres rugueuses. Ce furent des moments de ferveur intense. À la fin de l'apparition, Marija nous fit part en Italien du message de Notre-Dame: «La très sainte Vierge Marie est très contente de nous et du sacrifice que nous avons fait en escaladant cette montagne pour prier. Elle nous dit de ne pas avoir peur de faire des sacrifices. Elle sera toujours là pour nous aider à les réaliser. Notre-Dame nous a ensuite donné à nous tous une bénédiction spéciale.» Pour moi, cela signifiait qu'Elle nous envoyait chacun en mission pour témoigner et annoncer la Bonne Nouvelle.

Ce fut ensuite la descente vertigineuse de la montagne. Jocelyne culbuta sur une pierre et se blessa le genou gauche. Les Pères Girard et d'autres pèlerins vinrent à notre aide. Jocelyne nous dit en souriant: «La Très Sainte Vierge Marie ne veut pas que j'oublie de sitôt cette soirée mémorable...»

Il était deux heures du matin quand, exténués, nous avons pu nous assoupir à notre pension.

Le samedi, 11 octobre, à quelques heures de notre départ de Medjugorje, j'ai assisté à une conférence d'information donnée par le Père Slavko Barbarić. En un premier temps, il nous parla du message de Notre-Dame de Medjugorje et de cinq invitations qu'elle nous propose, à savoir: — Nous réconcilier pour obtenir la paix — Prier — Jeûner — Nous convertir et Nous abandonner à Elle. Il s'attarda ensuite à développer les messages des deux derniers jeudis que la Très Sainte Vierge Marie a communiqués aux voyants. Dans le message du 2 octobre, Notre-Dame nous apprend l'art de prier en prenant le temps nécessaire, en se concentrant et en ne se laissant pas déranger au cours de la prière. Quant au message du jeudi 9 octobre, qui correspondait au premier jour de mon arrivée à Medjugorje, Notre-Dame nous a fait savoir qu'Elle veut nous guider dans le chemin de la Sainteté. Nous ne deviendrons pas des saints par la force, mais plutôt en vivant les caractéristiques de la sainteté: joie, espoir et amour. La Très Sainte Vierge Marie nous demande de l'aider en n'ayant pas peur de nous sacrifier. Elle nous dit: «Dans votre chemin vers la sainteté, vous trouverez chaque jour quelque chose qui vous empêche de devenir saint. Détachez-vous de ce quelque chose avec joie. Ne soyez pas tristes.»

Pour moi, ce message était toute une révélation, un appel personnel. J'avais en effet au cours de mes vacances d'été délaissé mes lectures habituelles pour m'en tenir à la lecture de la sainteté des deux hommes que le Pape Jean-Paul II venait d'honorer lors de sa visite en France: le saint Curé d'Ars, Jean-Marie Vianney et le Père Antoine Chevrier, tous les deux de Lyon. Le message de Notre-Dame de Medjugorje venait d'une façon frappante et personnelle me confirmer celui d'Ars: «La sainteté est pour notre temps un appel universel, une voie accessible et un effort incessant.»

Joseph Ayoud, M.D.
Directeur du Centre d'oncologie,
Hôpital Notre-Dame, Montréal.

Sixième partie

Les groupes de prière

Bon nombre de ceux qui réfléchissent sur Medjugorje se demandent parfois et le demandent aux autres: «Que fait-Elle encore, la Vierge, à Medjugorje?» Alors si on tenait compte de l'affirmation de Vicka qui dit que la Vierge Marie n'a jamais apparu auparavant et n'apparaîtra jamais plus dans l'histoire de cette manière, tout nous serait clair. Pour d'autres, cette question serait plus facile à comprendre s'ils se rappelaient que la Vierge Marie, avec ses messages du jeudi, fait l'éducation, non pas seulement de Medjugorje, mais de toute l'humanité.

On pourrait encore mieux comprendre si on entrait plus profondément dans la vie de nombreux groupes qui prient et chantent dans l'esprit des messages de Marie dans le monde entier. Mais pour pénétrer ce mystère sans faire de grands détours, le plus simple serait de mieux connaître la vie de deux groupes de prières guidés par la Vierge Marie à Medjugorje même.

Le petit groupe

L'existence de ce groupe commence dès le début avec les premières apparitions. J'en ai glissé un mot dans le livre «*Je vois la Vierge*» (au chapitre 23, page 79). Les membres de ce groupe considèrent le 4 juillet 1982 comme leur date de départ. Ce jour-là, dans la nuit, à Podbrdo, lors d'une apparition, la Vierge Marie leur demanda d'être dorénavant à son service par la prière. Dans «*Je vois la Vierge*» il a été dit que la Vierge Marie était apparue plusieurs fois à ce groupe de prières, mais désormais Elle leur apparaîtra régulièrement. Naturellement la Vierge Marie n'était vue que par les voyants présents, mais cela n'empêchait pas les autres membres de conclure qu'Elle était là et de se comporter en conséquence.

Voici comment cela s'est passé le 4 juillet 1982. Quelques membres du groupe, au retour de l'église à 10 heures du soir, se trouvaient sur la terrasse chez Vicka. Ils n'arrivaient pas tous à se mettre d'accord sur certains points. Cinq ou six d'entre eux étaient pourtant d'accord pour aller à la colline des apparitions. En haut, ils priaient et chantaient; puis la Vierge Marie est venue. Elle a prié avec eux, les a bénis et a fixé le jour et l'heure des prochaines rencontres. Au début c'étaient les mardis et vendredis, et puis le mardi a été remplacé par le lundi parce qu'il y en avait parmi eux qui avaient d'autres rencontres prévues les mardis, les samedis et par la suite les jeudis dans le sous-sol du presbytère.

Au groupe se sont jointes encore quelques personnes, mais «officiellement» il n'a jamais dépassé 15 membres. On devenait membre par inspiration et on cessait de l'être de la même façon. La majorité des membres était là depuis le début. Quelques-uns partaient et se faisaient remplacer par d'autres.

La Vierge Marie n'a nommé personne en particulier, ni pour se joindre au groupe, ni pour en sortir. Elle leur disait à plusieurs occasions que celui qui trouve ses conditions difficiles est libre de partir, car Elle est une Mère qui comprend chacun. Ainsi il y en eut quatre qui quittèrent. Elle a été pleine d'attentions maternelles envers les membres du groupe. Elle les a protégés bien des fois et leur a donné la force d'être fidèles aux efforts qu'ils devaient fournir.

Quelquefois, Elle les choyait tout simplement. Déjà à la troisième rencontre, par un voyant, Elle les a appelés à s'approcher un par un pour La baiser. Ce voyant leur disait, bien sûr, où il fallait se placer. Il n'est pas étonnant que personne de ces heureux élus alors, pas plus que maintenant, ne sache expliquer ou décrire cette expérience. Tous sont d'accord pour dire qu'en ce moment-là, ils ont senti quelque chose qui ne se décrit pas. Il est arrivé aussi une situation amusante. Un des membres du groupe était plus petit et ne pouvait pas atteindre le visage de la Vierge. C'est alors qu'un des plus forts l'a soulevé pour qu'il puisse baiser son visage. Tout le groupe a éclaté de rire et la Vierge Marie riait joyeusement avec eux.

Tout en étant maternelle avec le groupe, Elle le tenait fort dans ses mains. Elle fixait le jour et l'heure des rendez-vous. Elle les invitait à prier le plus possible pour ses intentions particulières, sans toujours les dévoiler. Presque depuis le début, Elle les invitait à trois rencontres, le lundi, le mardi et le vendredi. Elle leur demandait de l'aider par la prière afin que les plans de Dieu se réalisent. Et lorsque la faveur était obtenue, Elle les remerciait pour les sacrifices qu'ils s'étaient imposés pour Elle. Dès le début, c'était convenu qu'au moins un des voyants serait présent dans le groupe. La Vierge Marie se servait de lui pour encourager le groupe et lui confier des tâches qu'Elle demandait et planifiait Elle-même.

C'était une très grande joie pour les voyants et les membres du groupe qui se trouvaient là tous ensemble. Il n'est pas évident qu'ils auraient pu tenir sans sa présence. Les demandes de la Vierge n'étaient pas très faciles. Il fallait, toujours la nuit, deux ou trois fois par semaine se rendre à l'endroit de la rencontre. Et ceci par n'importe quel temps. Il fallait pratiquement y consacrer une bonne partie de la nuit. Ils restaient à l'endroit de la rencontre de deux à trois heures pour lire les Écritures, prier et chanter. C'était aussi les jours où ils jeûnaient.

Il serait bon de mentionner ici que quelques membres du groupe demeuraient à trente ou quarante km de Medjugorje. Cela ne les empêchait pas d'être toujours des plus réguliers à la rencontre. Les tâches étaient parfois impossibles. C'est Elle qui indiquait l'endroit de la rencontre, mais son choix maternel n'était pas toujours des plus tendres! Ainsi pendant le froid intense de l'hiver 1984, ils allaient (sur l'invitation de la Vierge Marie) au mont Krizevac pour la rencontre qui avait lieu exactement à minuit. La neige profonde avait couvert le chemin de Krizevac devenu impraticable. Cela ne les empêchait pas de faire le chemin de la croix et de s'arrêter à chaque station que l'on entrevoyait à peine ensevelie sous cette belle masse blanche. En temps ordinaire, il fallait au moins de la maison de Vicka d'où on partait, une heure pour arriver à Krizevac. C'était une grande joie pour ces pèlerins insolites lorsqu'ils atteignaient leur but, sachant que leur bonne Mère les attendait là-haut, pour les remplir d'une joie jamais connue auparavant. Ils savaient bien qu'ils n'auraient pas pu le faire si Elle n'avait été là pour les aider. Les voyants qui étaient présents leur transmettaient ses encouragements. Elle restait avec eux cinq, dix, vingt, trente minutes et plus! L'un d'eux, qui était plus mature, nous a raconté qu'il n'avait jamais couvert sa tête pendant la durée de l'apparition quel que fût le temps qu'il faisait (beau temps, mauvais temps).

Ils se réjouissaient profondément lorsque rien de fâcheux n'arrivait à personne. Les jours passaient! Le groupe commençait à avoir un problème: celui de ne plus être seul. Pendant un temps, ils se cachaient à un endroit précis, à *Podbrdo,* mais d'autres pèlerins nocturnes arrivèrent vite à les retrouver. Maintenant, ils se sont habitués à la présence d'autres personnes. C'était ainsi dans la nuit du 4 au 5 août de l'année 86. Le moment était solennel. Cette nuit-là, la voix «qui n'était ni parole, ni bruit», avait rassemblé une dizaine de milliers (peut-être plus selon certains) d'hommes et de femmes de toutes catégories pour préparer sa fête et recevoir sa bénédiction et ses remerciements.

Il serait intéressant d'établir comment se déroulait leur rencontre. Aucun membre du groupe n'est capable de l'exprimer. La raison en est très simple. La rencontre n'a pas de formule stricte. Tout dépend des suggestions de la Vierge Marie et de l'inspiration personnelle de chaque membre du groupe. Ce n'était pas la première fois que la Vierge Marie avait demandé par un des voyants que chacun dans le groupe lui parlât spontanément du fond de son cœur selon l'inspiration du moment. Quelques membres nous ont dit que ce furent les plus beaux instants de leur vie. Ils étaient eux-mêmes surpris de la beauté et de la profondeur de l'inspiration qui se manifestait à ce moment-là. C'était pour eux un signe incontestable qu'ils étaient dans le droit chemin et que la Vierge Marie était avec eux.

Cela devient une joie qu'on ne connaît pas dans la vie courante. La Vierge Marie prend soin de mettre de la chaleur dans leurs rencontres pour qu'elles ne deviennent pas routinières. Elle leur disait de lui écrire des lettres et d'y laisser couler en toute liberté les désirs de leur cœur. Parfois, Elle disait aussi de joindre une fleur à chaque lettre. Ils le faisaient dans la joie car ils aimaient cette façon dégagée d'échanger avec leur Mère. Ils venaient devant Elle. Un des voyants leur disait comment l'approcher et ils offraient la lettre avec la fleur en disant quelques mots gentils. En même temps, ils sentaient une joie extraordinaire. Ensuite ils reprenaient la lettre et la fleur (s'ils ne la laissaient pas à l'endroit de la rencontre) pour les garder soigneusement chez eux. Les voyants leur racontaient que ces petits cadeaux rendaient la Vierge Marie très heureuse.

C'était vraiment quelque chose de bien spécial ! Ces lettres étaient riches de désirs ardents, de remerciements et de bonnes choses. Dans une des dernières lettres ils avaient exprimé « le vœu de s'abandonner au *Père Éternel* » et cela avait apporté beaucoup de joie à leur Mère. Chaque lettre est précieusement conservée et gardée dans leur cœur. Un des voyants racontait qu'il se passait des choses magnifiques pendant leur rencontre. On y raconte le fait que la Vierge Marie n'a jamais manqué son rendez-vous. Quelquefois, Elle parlait de choses sérieuses, mais gardait son air joyeux et le transmettait à ses pèlerins de la nuit.

Personne ne pouvait dire qu'il en avait assez de ce rythme de vie. C'est merveilleux quand c'est la Vierge Marie qui fait des cadeaux ! On a déjà dit aussi que la Vierge n'a pas toujours « gâté » ces bons pèlerins. Elle savait parfois réprimander et punir. Une fois pendant une soirée de prière à Krizevac, par un soir très froid et venteux, ils priaient, mais sans pouvoir se recueillir. Ce n'était pas de cette manière que leur enseignait la Vierge Marie. Elle vint quand même. Les voyants la virent et dirent que la Vierge paraissait attristée par la faiblesse de leur prière. Elle leur ordonna comme punition de réciter le rosaire au complet après son départ.

Cela semblait être insupportable, mais ils se regroupèrent en arrière de la croix (à l'abri) et commencèrent à prier. (La prière n'allait pas du tout.) Non, ils ne pouvaient pas bien prier. La Vierge Marie apparut de nouveau. Les voyants la virent triste à pleurer. Elle leur faisait dire de cesser la prière et de rentrer chez eux. Tous étaient tristes, mais il fallait obéir à la Vierge Marie et partir. D'habitude c'était différent à Krizevac et aux autres endroits où tout se passait dans la joie.

Voici un exemple: un jour, la prière du soir se fit dans la maison de Vicka. Celle-ci était malade et les autres voyants (Ivan et Marija) n'étaient pas chez eux. C'était vers le milieu de l'année 1985. Vicka, quoique malade, guidait la prière et la rencontre avec la Vierge. La Vierge Marie est apparue et Vicka, en parlant avec Elle, faisait du bruit avec ses lèvres. Quelqu'un dans le groupe trouvait cela drôle et éclata de rire. Puis tout le monde riait d'un rire contagieux, excepté VICKA. Pensez-vous que la Vierge va les reprendre? Mais non! Elle aussi s'était mise à rire avec eux. Quelque chose de semblable est arrivé une fois à Podbrdo pendant que la Vierge était en prière avec le groupe. Un des membres a commencé à rire sans raison apparente. Et le rire a gagné tout le groupe. La Vierge cette fois aussi, disent les voyants, partageait leur gaieté.

Jamais la Vierge Marie ne les a corrigés pour avoir ri. Elle était joyeuse lorsqu'ils étaient joyeux. Cela s'est produit très souvent, surtout à Krizevac. Bien que c'était souvent comme cela, la Vierge Marie continuait à leur demander de plus grands sacrifices comme celui du début de l'année 1986. Il fait froid. La Vierge Marie les invite à monter à Krizevac, pieds nus pour prier avec Elle afin qu'un plan de Dieu se réalise. Ils ne pensaient même pas s'ils allaient pouvoir le faire. C'était le souhait de la Vierge et ils allaient le remplir dans la joie. Lorsqu'ils partirent de la maison de Vicka, tout le monde les déconseillait, mais ils n'entendaient que la Madone et c'était suffisant. Ils montaient sans aucun éclairage. C'était convenu comme cela avec la Vierge pour chaque escalade nocturne. Une douzaine de ces jeunes sont arrivés tout heureux devant la grande croix sans subir aucune égratignure. En quelque sorte, cette croix, bien que froide, les réchauffait. La Vierge Marie est venue tout de suite joyeuse et les a remerciés pour le sacrifice qu'ils Lui avaient offert.

Ainsi cette grande croix froide arrivait toujours à les réchauffer !

Nous l'avons déjà dit, la Vierge Marie étant Mère connaissait bien les jeunes pèlerins. À l'arrivée de l'hiver son courageux Ivan n'était pas là. C'est pourquoi la Vierge leur disait de faire leur rencontre dans la maison de VICKA à partir de 10 heures du soir. Après les offices à l'église, ils se réunissaient chez Vicka pour lire la Bible, prier et chanter en attendant la venue de la Vierge Marie. Ils savaient, en observant les voyants, le moment de son arrivée et de son départ. À la fin de chaque apparition, quelqu'un des voyants disait « Ode ! » (Elle est partie).

Tous les membres du groupe disent avoir des témoignages extraordinaires sur l'action de la Vierge Marie parmi eux. Et ce n'est pas étonnant (disent les autres) de les voir s'épanouir comme des fleurs toutes différentes dont il faut attendre patiemment les fruits.

C'est ainsi qu'ils étaient vus par le groupe de jeunes italiens, ex-drogués, qui étaient venus à Medjugorje accompagnés de trois religieuses pour ranimer leur foi et *« leur confiance au Père Éternel »*, leur père terrestre les ayant reniés pour la plupart.

Un soir la Vierge a incité son petit groupe à descendre dans les tentes de ces jeunes italiens pour prier avec eux et leur parler de leur expérience spirituelle et du bonheur qui accompagne ces expériences.

Ils priaient et chantaient joyeusement. Les jeunes italiens en étaient ravis, pleuraient de joie et prenaient définitivement de bonnes résolutions pour une vie nouvelle. Aux efforts déjà mentionnés, la Vierge Marie a naturellement demandé à son groupe d'autres sacrifices dont le jeûne et la charité avec lesquels on surmonte toutes les incompréhensions des milieux respectifs. Plus concrètement, Elle demandait la privation de sucreries et de la télévision dont notre époque est si avide. Elle demandait aussi de restreindre les « sorties », la cigarette et l'alcool. Ce sont les recommandations que nos mères n'arrêtent de répéter à leurs enfants; c'est différent quand c'est la Mère du ciel qui le dit.

Voilà un court aperçu sur la vie de ce petit groupe de Medjugorje que la Vierge guide et encourage comme un levain pour les temps futurs. Personne ne sait combien de temps va durer le groupe mais aucun des membres n'a le désir qu'il s'arrête. Cette union dans la prière donne un sens particulier à leur vie. Si l'on savait tout ce qu'ils savent ! Ils avouent connaître des choses merveilleuses, mais ne peuvent pas les dire pour le moment. C'est la Vierge qui l'a dit à quelqu'un et ils respectent son désir.

Le grand groupe

Il a été nommé le grand groupe pour le différencier d'autres groupes existant à Medjugorje. Nous avons déjà parlé du petit groupe qui a été formé lui aussi par la Vierge Marie le 4 juillet 1982, à l'endroit des premières apparitions. Ces groupes forment en quelque sorte un ensemble, sauf que le petit groupe a été établi avant et avait au début un rythme de rencontre différent.

Pour pouvoir parler de ce grand groupe, nous devons nous rappeler de Jelena Vasilij (de Grgo) qui a commencé à avoir le 15 décembre 1982 des expériences spirituelles intérieures. Ce jour-là, elle entend d'abord la voix d'un ange et ensuite celle de la Vierge. On sait qu'au début, elle a été un peu confondue, mais vite, elle a eu le courage de tout dire au Père Tomislave Vlasić. C'était vers la fin du mois de mai 1983. Jelena lui a dit que la Vierge désirait qu'il forme un groupe à son service; groupe qu'Elle guiderait Elle-même d'une façon particulière. Dans ce message, il a été souligné que la Vierge Marie ne demande que ceux qui désirent se consacrer totalement à Elle. Elle a incité plus particulièrement les jeunes filles et les jeunes gens, étant donné qu'ils ne sont pas liés par des obligations familiales ou relations de travail. La Vierge Marie a dit qu'Elle leur laisse un mois de réflexion. Ils sont libres d'accepter ou de refuser. Il fallait cependant une préparation par le jeûne et la prière.

Déjà, le 16 juin 1983 au commencement de la neuvaine pour

l'anniversaire des apparitions, la Vierge Marie a donné à Jelena un message indiquant la direction dans laquelle le groupe doit s'engager. Voici les directives que la Vierge Marie a données dès le début au grand groupe.

— Renoncer à tout et se donner entièrement à Dieu. Au début, Elle a demandé plus spécialement de renoncer à différents plaisirs, ce qui donne une plus grande liberté d'esprit.

— Vivre dans l'espérance et n'avoir peur de rien.

— Prier au moins trois heures par jour. La Vierge Marie a recommandé en particulier d'assister, si possible, à la Sainte Messe quotidiennement. Il est important, a-t-Elle rappelé, non seulement de participer, mais de bien se préparer pour la célébration eucharistique et aussi de faire l'action de grâce.

— Elle a demandé aux membres de ce groupe de ne pas prendre de décision pour la vie, pendant quatre ans, comme de s'engager dans le mariage ou d'entrer au couvent. Elle a demandé tout simplement à chacun d'entre eux de prier et d'approfondir la prière. C'est le plus important. Après quoi, le choix pour la vie devrait se faire correctement de lui-même. Au bout de quatre ans, la Vierge Marie leur donnera les recommandations et les conseils nécessaires.

Le groupe a pris tout cela en considération dans la confiance. Le groupe compte 38 membres, dont quatre sont mariés. La Vierge Marie leur parle par l'intermédiaire des voyantes[1] Jelena et Marijana Vasilij. Je vous ai déjà dit quelques mots de Jelena. Marijana (de Mato) a des expériences intérieures avec la Vierge Marie depuis le 5 octobre 1983. Le Père Tomislav Vlasić est le directeur spirituel du groupe. Le groupe se réunit régulièrement pour la prière communautaire trois fois par semaine. Les membres assistent à la messe quotidiennement, sauf s'il y a empêchement. Tous les ans, ils suivent une retraite spirituelle et périodiquement des rencontres plus intenses. Le samedi, le groupe médite

1. Jelena et Marijana Vasilij ne sont pas parentes. Les deux ont des locutions intérieures. — Elles entendent la voix de la Vierge Marie au niveau du cœur et elles la voient quotidiennement par visions intérieures (cf. R. Laurentin, *La Vierge apparaît-elle à Medjugorje?,* p. 91).

sur le thème de la semaine, s'examine et prend des décisions pour la marche à suivre. Le groupe est fermé aux autres. L'importance de ce désir de la Vierge a été bien accepté et vite compris. Sans cela le groupe risquait d'être tout le temps à la merci des curieux et des passants, ce qui rendrait sa montée soutenue impossible. Ainsi la Vierge Marie leur donne des messages en tenant compte de la marche individuelle de chaque membre et de l'ensemble du groupe.

Du point de vue humain, le but de ce groupe n'est pas tout à fait clair. Nous savons que la Vierge lui demande plus de prières et de pénitences qu'aux autres groupes et qu'Elle le prépare pour une tâche précise. Des gens voient dans le groupe une nouvelle structure ecclésiale. Pendant un temps, le groupe le pensait aussi. La question a été posée à la Vierge Marie, à savoir, s'il était opportun de faire les démarches pour former une telle structure. La Vierge Marie a tout simplement répondu: « Chers enfants, vous ne savez pas ce que vous demandez, vous ne savez pas ce qui vous attend. Vous ne comprenez pas les plans de Dieu. Je vous demande de faire ce que je vous indique. » Il devient de plus en plus clair qu'au niveau de l'esprit, la Vierge Marie les prépare vraiment pour une tâche spéciale et que cette tâche est intimement liée à la réalisation des plans annoncés par la Vierge Marie aux voyants de Medjugorje.

C'est pour cette raison que la Vierge Marie les appelait, comme Jésus, ses apôtres, à être seuls pour pouvoir leur expliquer en détail ses intentions et ses messages. Les observations jusqu'à aujourd'hui nous montrent clairement ceci: par l'intermédiaire des six voyants de Bijakovici, la Vierge se présente comme un signe pour l'humanité à laquelle a été adressé un appel général (universel) pour le salut. Par l'intermédiaire de Jelena et Marijana, la Vierge Marie conduit le groupe vers les profondeurs de l'esprit, en l'éclairant et en l'aidant dans la *montée spirituelle*. Les deux aspects sont inclus dans le programme de la Vierge Marie à Medjugorje.

C'est évident, le groupe vit des expériences merveilleuses comme ces voyageurs de l'éternité qui vont à la recherche des paysages de la beauté de Dieu et découvrent tous les jours de nouvelles merveilles du ciel. On pourrait écrire des volumes sur le sujet. Mais pour le moment il n'est pas permis d'entrer dans les détails car la Vierge Marie a dit que ce n'est pas le temps. De plus les expériences profondes individuelles ou en groupe touchent l'intimité personnelle et aucun ne peut en parler sauf s'il ressent que Dieu le veut. Il existe toujours une certaine curiosité chez les gens. Ils aimeraient jeter un coup d'œil dans le groupe, connaître les messages, les expériences... mais ce n'est pas permis dans la montée spirituelle. On ne comprend les messages que si l'âme est prête intérieurement. C'est pourquoi la Vierge ne veut pas que les membres du groupe se vantent avec les messages, mais au contraire, Elle désire qu'ils gardent la discrétion spirituelle et témoignent par leur vie.

Voici toutefois, quelques éléments principaux dont la Vierge Marie se sert pour les guider. La PRIÈRE, c'est tout, simplement *tout*. Apprendre à prier correctement et transformer sa vie par la prière incessante. C'est l'essentiel de l'enseignement que la Vierge leur donne. Le mot «prière» comprend ici un sens beaucoup plus large que celui qu'on lui prête ordinairement. Il comprend aussi le JEÛNE, le RENONCEMENT total afin que nos activités soient imprégnées par le vécu de la prière. C'est une aspiration d'être éternellement avec Dieu et de pénétrer plus profondément en Lui. Tout simplement, c'est être amoureux de Dieu.

Nous pensons habituellement qu'on peut facilement apprendre à prier. On apprend facilement à réciter des prières, mais pas à prier. La prière, c'est un cheminement continuel, une purification ininterrompue et une ouverture à Dieu toujours grandissante. La prière devrait nous amener à une profonde relation personnelle avec Dieu. Dans ce sens voici quelques messages qui se rapportent à la prière:

— «Cher enfants, vous devez comprendre que la prière n'est pas une plaisanterie. La prière, c'est une conversation avec Dieu. Dans chaque prière, vous devriez 'entendre' la voix de Dieu. Sans la prière, vous ne pouvez pas vivre» (à Jelena, 30-9-83).

— «Quand vous priez, restez plus longtemps dans la prière, car c'est un entretien avec Dieu!

Par la prière, tout devient plus clair.
La prière vous fait connaître le bonheur.
La prière apprend à pleurer ses péchés.
La prière vous épanouit.
La prière n'est pas une plaisanterie.
La prière, c'est uniquement la conversation avec Dieu.

Voyez, il y en a tant d'âmes qui aimeraient savoir ce qu'est la prière. Vous le savez maintenant, essayez de le faire» (à Jelena, 20-20-86).

La Vierge Marie enseigne à ses élus non seulement qu'il faut prier, mais aussi comment prier. Elle dit que beaucoup prient, mais qu'il y en a peu qui entrent dans la prière. Voici pour cela les points qu'il faudrait suivre.

— Préparer le terrain de l'extérieur.
— Se tenir à l'écart du bruit.
— Cesser le travail et entrer dans le silence.
— Reconnaître ses péchés et y renoncer.

La Vierge Marie dit d'avouer chaque péché dans la conversation devant Dieu sous forme de prière. Le faire aussi longtemps qu'il faut jusqu'au moment où nous allons sentir intérieurement que tout nous a été pardonné et qu'il ne reste plus aucun sentiment désordonné de faute. Lorsque cela se passe dans le groupe, la Vierge Marie demande de reconnaître ses faiblesses l'un devant l'autre, de s'ouvrir dans l'humilité les uns aux autres et de s'entraider les uns les autres dans l'amour et la prière. Pour que l'âme soit de plus en plus disposée à la prière et que cela soit quelque chose de durable, la Vierge Marie recommande la confession hebdomadaire. Cette pratique s'est avérée d'une grande importance. C'est ainsi qu'à toutes les semaines, ils ont le contrôle de leur progrès. Ils prennent conscience de leurs défauts. Ils éloignent les obstacles qui les empêchent de grandir dans l'amour. Nous avons expérimenté que s'il nous reste le moindre résidu du péché, cela obscurcit notre conscience et limite notre esprit. La confession est la porte d'entrée dans la prière. Il faut remettre à Dieu toutes nos difficultés. Il ne s'agit pas de quelque chose de rationnel. C'est un acte très profond. Nous ne pouvons entrer dans la prière que si nous nous libérons de tout péché. Nous ne pouvons entrer dans la prière, si nous sommes écrasés par nos soucis et nos préoccupations. *Il faut tout laisser à Jésus,* Lui dire toutes nos misères et les Lui offrir. En tout cas, la personne doit rester dans cet abandon total jusqu'à la libération complète de l'esprit.

Il ne s'agit pas ici d'une «décharge» sentimentale ou psychologique. Il s'agit d'une libération de l'esprit. Malgré la croix qui nous guette, nos problèmes ne sont plus des problèmes; notre cœur se remplit de paix et de joie. Nous ne pouvons être à l'écoute de Dieu qu'après cette ouverture. Lorsque la liberté a pris naissance dans notre âme — libérée de tout péché et de toute préoccupation — alors l'Esprit Saint peut agir en nous, sans entrave. C'est pourquoi cette étape de la prière est une étape d'écoute, de réflexion, de méditation, de prise de décision et d'orientation.

La bénédiction vient à la fin. Elle imprègne nos décisions. Nous la désirons et nous la demandons à Dieu, car sans elle nous sommes impuissants. Il est important de la recevoir dans la paix et de la garder en nous. La Vierge attirait souvent leur attention sur cela. Pour recevoir et garder la bénédiction, le recueillement intérieur est indispensable. Toutes ces étapes de la prière peuvent se pratiquer différemment: dans le silence, la prière à voix basse et le chant. Il est important de garder en tout la simplicité, l'approche directe avec Dieu dans laquelle s'effectue la rencontre vitale. La prière doit toujours faire revivre la personne.

Avoir l'âme de notre Mère

«C'est en soi le but de notre cheminement. De la manière la plus simple, Marie nous a offert ses vertus et souhaite les développer en nous: humilité, paix, simplicité, joie, offrande totale à Dieu, amour ardent et perpétuelle prière. Avec une telle âme, on peut prier. La Vierge Marie a dit que Satan n'a pas le droit d'approcher la personne qui possède toutes ces vertus. Elle a dit aussi que si nous gardons ces vertus fraîches et intactes en nous comme les pétales d'une fleur, il n'y a que Jésus qui peut les cueillir.»

Expérimenter Dieu dans la nature

C'est un aspect de la prière que la Vierge Marie nous a enseigné. Elle nous appelait souvent dans la nature à la découverte de la création de Dieu, pour le glorifier et transmettre nos expériences aux autres.

Ce groupe met un accent particulier sur la dimension de la vie en commun. Nous savons que le christianisme ne se vit que dans la fraternité. C'est facile à comprendre sur le plan théorique. Sur le plan pratique, la Vierge Marie enseignait au groupe comment faire. Elle favorisait le travail en petit groupe et leur donnait des thèmes pour approfondir la vie en commun. Ainsi chaque samedi, chacun devait choisir un membre du groupe avec lequel il irait prier et échanger durant la semaine. À part cette obligation, Marie a demandé d'avoir un membre plus intime dans le groupe pour pouvoir entrer avec lui plus profondément dans des expériences spirituelles et pour que ces expériences les aident à mieux accepter les autres membres du groupe.

Conclusion

Nous vous avons donné ici quelques expériences du groupe, une faible information de ce que la Vierge Marie fait dans le groupe. Nous espérons avoir bientôt plus d'éclaircissement. Un jour, le groupe s'ouvrira au monde, nous parlera de son vécu et du travail qui lui sera confié. Pour le moment, les membres du groupe nous disent que si nous voulons apprendre quelque chose de leur expérience nous n'avons qu'à prier beaucoup, jeûner, accepter à la lettre les messages de la Vierge Marie et les vivre dans la joie. C'est ainsi qu'on arrivera à certaines connaissances intérieures que le groupe est en train de vivre.

Yanko Bubalo

Le rideau se lève doucement

Il semble que les amis de Medjugorje et ses ennemis aussi sont toujours intéressés et aujourd'hui plus que jamais à savoir ce qui se passe au juste en ce petit village.

À Medjugorje, la vie de *prière* continue, de même que le flot des pèlerins. Au cœur des cérémonies «officielles» se trouve l'office du soir d'une durée de trois heures pendant lequel l'église est toujours remplie. Même le jour, cette église n'est jamais vide. Il y a un va et vient constant. Les gens cherchent à rencontrer le Seigneur. Les uns s'arrêtent à l'église avant d'aller à la colline des apparitions, d'autres s'y arrêtent au retour pour prier, prier et prier !

La Vierge avait choisi ce terrain pierreux pour se manifester aux enfants de Bijakovići. Elle s'y manifeste encore quelquefois (maintenant qu'ils sont devenus adultes) tard dans la nuit pendant que tout, autour d'eux, dort paisiblement. (Les apparitions quotidiennes ont lieu au presbytère.)

Des gens se rendent aussi en grand nombre, après une longue visite à l'église, au sommet du mont Krizevac. Là, au pied de l'immense croix de béton gris et froid, ils cherchent la chaleur qui s'en dégage.

Malgré les pièges que lui tendent les hommes et Satan, cette vie continue.

Deux groupes de prières de jeunes avec leur ardeur et leur enthousiasme uniques pénètrent dans l'union avec Dieu en priant et en jeûnant pour la victoire finale du Bien parmi les hommes.

Mais peut-être que la main de Dieu se manifeste encore mieux en relation avec les voyants de Marie. Il devient de plus en plus clair qu'ils jouent un rôle évident dans ces événements. Chacun d'eux est visiblement chargé d'une mission dont il est plus ou moins conscient. Il devient de plus en plus évident que chacun d'eux, d'une façon particulière et personnelle, participe au programme de cette manifestation de la Vierge à Medjugorje. Le choix de la Vierge n'est pas le fruit du «hasard». On le voit plus particulièrement dans la conversation avec Vicka. Il se passe avec elle, plus qu'avec les autres, des choses tout à fait intéressantes, surtout depuis qu'elle a prononcé son «OUI» décisif il y a quatre ans, lorsque la Vierge Marie l'a appelée à souffrir davantage. Personne ne le savait, à part la Vierge et Vicka. Ce qui n'a pas empêché les événements et les expériences de se succéder l'un après l'autre.

À cette époque, Vicka commençait à avoir de légers maux de tête accompagnés d'étourdissements. À cela s'ajoutait l'inflammation articulaire qui s'est calmée un peu après son opération des amygdales. Mais la souffrance s'intensifiait. Maux de tête et évanouissements devenaient de plus en plus fréquents et pénibles. On n'y comprenait rien.

Sur la maladie de Vicka, on racontait des choses qui pour cette jeune fille de 18 ans étaient peut-être aussi difficiles à supporter que la maladie même. Finalement, Vicka s'était soumise à des examens médicaux inutiles et sans résultats, mais les symptômes de sa mystérieuse maladie continuaient de se manifester. Vicka entrait graduellement dans une souffrance mystique et, en accord avec la Vierge Marie, elle ne devait pas en parler. Vicka ne pouvait dévoiler son secret ni à sa mère, même si elle comprenait toute la souffrance que cela lui causait. Un jour pourtant, elle lui «glissa» un mot pour soulager sa douleur maternelle. Peu à peu ses proches ont fini par comprendre ce qui se passait réellement en Vicka. Toutefois, elle le niait par ses paroles et son comportement. Elle se montrait toujours souriante. Tout le monde, les étrangers aussi bien que ses compatriotes, le remarquaient et en étaient surpris. Un journaliste italien lui lançait la boutade: «Vicka italianissima!», voulant dire par là, Vicka toujours vive et gaie comme les italiens. Elle ne se préoccupait pas beaucoup de son état. En quelque sorte, son courage était son point faible. Son attitude du 13 mai 1985 l'illustre bien. Elle a passé le 12 mai dans le coma, mais cela ne l'empêcha pas de faire pieds nus son pèlerinage au Sanctuaire de Saint-Antoine à Humac. Le soir tard, après être sortie de son «sommeil», elle s'est jointe d'abord à son groupe de prière pour la rencontre nocturne avec Notre Dame. De retour à la maison vers minuit, elle a dit à sa mère qu'elle aimerait aller à Humac. Sa pauvre maman en était confuse. Vicka est restée au lit toute la journée, n'a rien mangé et maintenant elle veut aller à Humac. Comment va-t-elle le supporter? Mais pour Vicka tout était clair. Cette nuit-là, elle a demandé à sa Mère du Ciel si elle pouvait aller à Humac. La Vierge lui a dit «oui» et cela lui suffisait. Elle savait que tout se passerait bien. À une heure et demie de la nuit, elle est partie avec ses amis. À 5 heures du matin, après avoir parcouru 15 kilomètres, pieds nus, elle est allée s'agenouiller devant le confessionnal. Tout s'est passé dans la confiance et la joie. Le lendemain Vicka a gardé le lit toute la journée dans son état de «coma».

Avril 1985 fut un mois particulièrement intéressant dans la vie de Vicka. La Vierge Marie après 825 jours a cessé de lui raconter sa vie. Que faire maintenant avec ces cahiers bien remplis? La Vierge Marie a choisi elle-même le prêtre à qui Vicka, quand le temps sera venu, remettra ces cahiers dont il va prendre soin. Ensuite Elle lui a dit le nom de ce prêtre-là. Dans une entrevue avec Vicka, elle ma avoué: «Si c'était à moi de choisir, tu sais qui j'aurais choisi?» «C'est mieux ainsi, lui dis-je. La Vierge Marie sait ce qu'Elle fait.»

Concernant ces cahiers, elle ne peut pas en dire plus. Elle a mis au courant le prêtre en question qui a pris cet avis calmement. Depuis, nous sommes en 1987, il n'y a aucune nouvelle. Vicka ne s'en préoccupe pas. Elle s'en remet à Celle qui, à la suite de cela, a entrepris de lui parler de l'avenir *du monde,* que Vicka note aussi (comme elle l'a fait pour la vie de la Vierge).

C'est tout ce qu'on sait. La vie continue et celle de Vicka est marquée par une souffrance dont on ne connaît pas la nature exacte. Elle souffrait particulièrement de ne pouvoir participer avec les autres voyants aux rencontres avec la Vierge Marie. Elle devait rester pratiquement seule, chez elle, surtout pendant les longues soirées d'hiver. Mais Vicka avait une confiance totale dans la Vierge Marie qui l'a visitée régulièrement. Pendant une période de quinze mois, l'apparition venait au deuxième «Notre Père». Lorsque Vicka prononçait les paroles: «Que ta Volonté soit faite...» Cela n'est pas du hasard! Non, parce qu'il fallait pour Vicka constamment vivre ces paroles: «Que ta Volonté soit faite» et ce n'était pas si simple! Malgré tant d'efforts parfois fatigants, je n'arrivais pas à pénétrer dans le mystère de sa vie cachée. Elle persévérait courageusement dans son mutisme et nous laissait consciemment sur nos pressentiments (dans l'ignorance).

Seulement, vers le milieu de l'année 1985 (peut-être, inspirée par la Vierge) elle me permettait d'entrevoir un peu plus loin dans ce domaine des secrets. Je pense surtout à son état de santé. Finalement pendant une longue entrevue sérieuse le 16 septembre 1985, elle m'a promis d'en parler quelque peu. C'est arrivé au début de l'année 1986. On a appris (ce n'était plus possible de le cacher) que Vicka vivait entre le 3 et le 6 janvier 1986 quelque chose de «spécial». Nous savions déjà que depuis des mois, ou plutôt des années, Vicka souffrait de maux de tête et d'évanouissements qui s'aggravaient avec le temps. Aucun médecin, même les spécialistes de la clinique Rebro à Zagreb ne pouvaient trouver la cause, ni le remède pour les misères de Vicka.

Il n'y a que Vicka qui savait tout, mais dans la joie elle offrait sa souffrance et se taisait. Lorsqu'un médecin spécialiste avait dit à Zagreb le 20 octobre 1984 à la maman de Vicka: «Que Vicka jeûne moins, qu'elle se repose davantage et qu'elle arrange tout le reste avec sa Madone», Vicka avait souri et sa mère attristée pensait à ce moment-là qu'il n'y avait pas d'aide pour Vicka. Sa mère savait aussi que Vicka ne priait pas et ne prierait jamais (elle le répétait constamment) la Vierge Marie pour sa santé. Un détail particulier illustre bien ce que nous venons de dire.

C'était lundi le 15 septembre 1984 au lendemain de la fête de l'Exaltation de la Croix à Krizevac. Le soir dans la chambre de Vicka étaient assis Ana, Nedjo, Mirijana, en attendant d'aller en groupe à Krizevac pour la soirée de prière. La Vierge Marie leur avait dit d'être là pour minuit. Vers 11 heures p.m., pendant qu'ils se préparaient pour partir, Vicka commençait à avoir des maux de tête. Ils l'ont aidée à s'allonger et ensuite sont sortis sur la terrasse pour prendre l'air. Quand ils ont vu que Vicka ne sortait pas, ils sont retournés la voir. Quelle surprise! Ils la voyaient couchée, tranquille, le visage rayonnant de joie comme lorsque la Vierge est avec elle. Par respect pour la Vierge Marie ils se sont agenouillés et ont prié. Vicka comme jamais auparavant priait à haute voix. En outre, elle répétait plusieurs fois: «Jésus, mon Dieu.» Près d'elle se trouvait sa sœur Ana qui à chaque soupir de Vicka enchaînait «Aie pitié d'elle», mais Vicka répliquait: «Non, n'aie pas pitié!» C'est ainsi que le rideau s'ouvrait doucement sur les misères de Vicka. C'était clair surtout lorsqu'aux paroles de sa sœur Ana: «Vicka, donne-nous un peu de tes souffrances!» Vicka avait répondu: «Non! je ne vous donne rien de mes souffrances, je prendrais les vôtres si je le pouvais.»

À la suite de quelques examens successifs à Zagreb, les médecins avaient prescrit à Vicka des «remèdes» qui n'étaient que des multivitamines qu'elle n'avait consciemment et volontairement jamais prises, parce qu'elle savait ce que personne ne connaissait à part sa Madone. Moi aussi, je lui avais proposé de prendre des pilules, mais au lieu de s'en servir elle les donnait à une dame du village qui en avait vraiment besoin. Quand je lui ai reproché de m'avoir trompé, elle se défendait en disant que c'était le mieux qu'elle pouvait faire. Ainsi, comme je l'ai déjà dit, on commençait à déceler le secret de la maladie de Vicka. Son état de «coma» était de plus en plus long. Cela pouvait durer jusqu'à quinze heures par jour, sauf quand elle avait une absence de souffrance, ce que sa sœur Ana appelait le «repos», comme à l'anniversaire de la Vierge, le 5 août 1985. Ce repos dura huit jours. Pendant le «coma», il était inutile d'entreprendre quoi que ce soit pour la réveiller. Elle se réveillait seule, sans aide de personne, cinq à six minutes avant la rencontre habituelle avec la Vierge, l'hiver à 17:40 heures et l'été à 18:40 heures. C'était ainsi, le 17 septembre 1985. Ce jour-là, sa mère attendait qu'elle se réveillât. Lorsqu'elle sortit de son sommeil, elle dit à Vicka: «Ma fille, pourquoi ne demandes-tu pas à la Vierge d'écourter ta misère au moins un peu? Vicka lui répondit: «Maman, si tu savais combien d'âmes en profitent, tu ne me demanderais pas cela!» Sa mère a seulement ajouté: «Ma fille si c'est ainsi, que la volonté de Dieu soit faite!»

Après chaque réveil, elle avait l'air joyeux et simple comme d'habitude. Ses proches commençaient à y voir plus clair.

Le 6 novembre 1985, dans mon entretien avec Vicka avant et après sa rencontre avec la Vierge, j'ai vécu moi-même de très près ce qui se passait avec elle. Vicka semblait alors, quoique à peine sortie du coma, tout à fait fraîche et joyeuse comme si rien ne s'était passé. Nous avons parlé de son prochain voyage à Zagreb (dans deux jours) pour y subir des examens médicaux. Un médecin, membre de l'ex-commission épiscopale de Mostar, l'avait convoquée. Il avait, à ce moment-là le droit de le faire. Vicka semblait être attentive à mes conseils pour s'y soumettre librement. Le moment de la rencontre avec la Vierge étant arrivé, il n'y avait que nous deux et sa petite sœur Marijana. La rencontre a commencé par la prière comme d'habitude et Vicka est tombée à genoux au deuxième Notre Père: «Que ta volonté soit faite.» Il en est ainsi depuis plus de quinze mois. C'était le signe de la présence de la Vierge. Vicka a commencé à chuchoter avec la Vierge. (Tout est enregistré sur mon petit magnétophone que je tenais près d'elle.) L'apparition a duré sept à huit minutes. Ensuite l'extase s'est terminée par «Ode» (Elle est partie). Un moment de silence, puis l'action de grâce au Seigneur et la rencontre était terminée. Nous nous sommes hâtés de nous rendre à l'église. Rapidement, j'essayai encore de donner à Vicka quelques recommandations quant à son voyage à Zagreb. Il faut se soumettre à tous les examens possibles pour savoir enfin de quoi il s'agit. Vicka m'a coupé la parole en me disant d'une voix claire et nette: «Mon Père, il n'y aura rien de tout cela!»

À ma grande surprise, Vicka m'a raconté que pendant l'apparition la Vierge lui avait dit: «Voilà, aujourd'hui tu as complété le premier cahier de mon récit sur l'avenir du monde... et demain, n'est-ce pas, tu vas à Zagreb?» Vicka lui a confirmé et la Vierge lui a dit: «C'est bien, tu peux aller à Zagreb, mais tu n'auras pas besoin de te soumettre à un examen médical.» Vicka a seulement ajouté: «Que puis-je faire maintenant, mon Père? Je dois obéir à ma Madone!»

Sur ce commentaire, nous sommes allés à l'église. J'avais de plus en plus la certitude que le «cas» de Vicka était sous la régie directe de la Vierge.

Vicka est allée tel que prévu à Zagreb. Elle a tout fait pour rencontrer le médecin en question. Si au moins elle pouvait lui expliquer sa situation. Elle attendit des heures pour son rendez-vous fixé à 2 heures de l'après-midi. Les raisons pour lesquelles le rendez-vous n'a pas eu lieu ne nous sont pas connues. Ainsi Vicka, après avoir terminé ses autres affaires à Zagreb, est retournée chez elle sans examens médicaux. C'est étonnant quand c'est la Vierge qui fait les arrangements.

Vicka n'avait jamais peur de sa maladie, elle a répété plusieurs fois: «Je n'ai pas peur de la vie, encore moins de la mort.» Pour elle, elle le disait: «La mort n'est que le passage d'une maison à l'autre. D'une maison moins belle à une autre beaucoup plus belle.»

Les jours passaient. Impossible de les décrire tous, mais j'aimerais en mentionner un en particulier. Le 7 décembre 1984, Vicka a senti une forte douleur à l'appendice. Courageuse comme elle était, elle ne s'en préoccupait même pas, surtout qu'elle situait (avec erreur) l'appendice du côté gauche de son corps. Elle s'est rendue à l'église pour la rencontre du soir avec la Vierge. Tout de suite après l'apparition, elle sentit de fortes douleurs et perdit connaissance. Immédiatement après, on la transporta à Citluk et de Citluk, le médecin la dirigea vers l'hôpital de Mostar. On lui proposa une opération pour 7 heures du matin, mais ceux qui l'accompagnaient n'avaient pas confiance dans l'expertise de ces médecins-là. Ils la ramenèrent à la maison et le lendemain matin, ils prirent l'avion à 9 heures pour Zagreb. À 11 heures ils étaient à l'aéroport de Zagreb et une heure plus tard à l'hôpital même.

C'était un samedi, jour de congé et fête de l'Immaculée-Conception. Tout était prêt pour l'opération à 14 heures.

Jusqu'ici, c'est peut-être une historie ordinaire. Peut-être! Mais nous l'avons écrite pour ce qui suit: Vicka a raconté que pendant l'opération, elle avait eu une apparition de la Vierge Marie qui a duré une quinzaine de minutes. La Vierge l'encourageait comme Elle seule sait le faire. Une dame de Zagreb a raconté que l'infirmière qui s'occupait de Vicka pendant l'opération s'était aperçue que quelque chose de particulier s'était passé avec Vicka. À un moment, elle craignit que l'anesthésie fut inefficace. Mais, la Vierge partit et tout rentra dans l'ordre.

Après l'opération Vicka a été gardée dans une chambre auxiliaire en attendant son lit d'hôpital. Elle était encore sous le choc de l'anesthésie à 17:40 heures, heure habituelle de la rencontre avec la Vierge. La Vierge Marie est venue. Elles se sont parlées. Une demi-heure après, l'effet de l'anesthésie commençait à diminuer. Celui qui l'avait accompagnée de Bijakovići avait observé tout cela de près. Lui et Vicka en ont parlé à quelques-uns plus tard. Ce fut une lourde journée pour Vicka, mais la Madone était à ses côtés. L'opération fut très difficile et suivie de complications, mais le cinquième jour après, elle rentra chez elle à Bijakovići. Après cela et bien d'autre événements, sont arrivés les jours déjà mentionnés, à savoir les 3, 4, 5 et 6 janvier 1986.

Vers 5 heures de l'après-midi Vicka sentait venir son état de «coma». Mais pensant qu'elle se réveillera comme d'habitude pour la rencontre avec la Vierge, elle dit à sa sœur et à son beau-frère Nedjo de l'attendre pour aller à l'église, après l'apparition. Ils étaient tous d'accord!

Cependant au lieu de se réveiller pour la rencontre avec la Vierge, elle demeura dans son état. À 17 heures 40 la Vierge est apparue, Vicka était couchée sur le dos, les mains jointes à sa façon, le visage rayonnant, s'entretenant avec Marie. Pour Nedjo et Ana qui avaient une longue expérience des apparitions de Vicka, tout était clair. (Le mystère de sa souffrance cachée était en relation avec Celle qui la visitait tous les jours.) Seulement, personne ne savait et ne saura jamais expliquer cette vie «double» de Vicka: le coma et ce vif chuchotement avec la Vierge.

Vicka m'a dit que pour elle c'était simple comme toute autre rencontre quotidienne avec la Vierge. Nedjo et Ana par respect pour la Vierge, se sont agenouillés et ont prié en attendant que la rencontre soit terminée. Quand Vicka sera réveillée, ils iront à l'église. Après vingt minutes, Vicka ne bouge toujours pas. Ana, de qui Vicka dira: «Elle n'en a jamais assez de prier», est allée à l'église. Nedjo est resté en attendant la fin de l'apparition. Vicka ne se réveillant pas, il est allé à l'église. Il n'avait pas peur, il ne craignait pas de laisser Vicka seule. Elle y était habituée. Quand elle se réveillera, elle se débrouillera bien.

Il était 9 heures du soir lorsque ses parents revinrent de l'église. Ils étaient à souper. Vicka est descendue, mais sans pouvoir dire quoi que ce soit. Tout devait rester secret, excepté ce qu'ils avaient pu voir eux-mêmes.

Vicka avait d'autres apparitions pendant son état de «coma», cela se voyait sur son visage et son comportement en général, mais cela ne lui est jamais arrivé avant ce jour du 3 janvier 1986, pendant une rencontre «régulière» avec la Vierge. C'était clair qu'il se passait quelque chose d'extraordinaire. Le lendemain 4 janvier, tout se déroula comme la veille, sauf qu'Ana et Nedjo n'étaient plus avec Vicka, mais il y avait quelqu'un d'autre. Ce soir-là, la Vierge Marie l'a rencontrée dans son état de coma. Elles ont causé une vingtaine de minutes; c'était comme une suite de la rencontre de la veille. Le trois janvier la Vierge Marie lui a proposé un triple engagement. Elle est libre de l'accepter ou de le refuser, mais elle doit donner une réponse à la Vierge au plus tard le dimanche, 5 janvier, pendant l'apparition quotidienne.

Vicka nous dit qu'elle était prête le 3 janvier, tout de suite et sans hésitation à accepter les propositions de la Vierge, mais la Vierge Marie lui a donné un délai de trois jours qu'elle voulait respecter.

Ce soir-là, le 5 janvier, la Vierge est apparue comme d'habitude. Vicka lui a donné son consentement avec joie. Au bout de 5 à 6 minutes, la rencontre était terminée. J'ai demandé à Vicka ce qui serait arrivé si elle n'avait pas accepté les propositions de la Vierge. Elle m'a tout simplement répondu qu'elle ne savait pas, parce que de toute façon cela n'aurait pas pu arriver. À l'apparition du 5 janvier était présent Monseigneur Paul Hnilica[1], évêque titulaire de Rome, avec un groupe de différents spécialistes médicaux. Ils sont restés quelques jours à Medjugorje pour observer les voyants et s'entretenir avec chacun d'eux en particulier.

Ils ont échangé longuement avec Vicka et ont assisté à l'apparition du 5 janvier lorsqu'elle était dans l'état de «coma». Quelle belle occasion! Ils ont fait venir la maman de Vicka et en sa présence, ils ont commencé à l'examiner. Ils ont pris son pouls, sa pression, sa température, etc... Ils ont ensuite fixé un fort projecteur dans les yeux, lui ont pressé le dessous des pieds, elle ne réagissait pas. Tout était normal chez elle, sauf qu'elle ne donnait aucun signe sensible de vie.

Peu après, elle était «réveillée» vive et joyeuse, comme si rien de particulier ne s'était passé. «Et puis, ce n'est rien», disait Vicka. C'est vrai ce qu'elle disait, sauf que la reprise de connaissance de ses expériences-là lui a été suspendue, car celui qui donne à l'homme de vivre des expériences extraordinaires peut facilement aussi les lui supprimer.

J'ai demandé à Vicka si cela lui a été difficile d'accepter les propositions de la Vierge. Elle m'a répondu courageusement comme toujours: «Pas du tout. Bien au contraire, cela m'a fait plaisir de pouvoir faire quelque chose pour la Vierge Marie.» La Vierge a dit à Vicka qu'Elle va lui apparaître encore demain le 6 janvier à l'heure habituelle et après, elle n'aura pas de rencontre jusqu'au 25 février.

J'attendais patiemment le 25 février, le jour de la reprise des rencontres entre la Vierge et Vicka. Vicka non plus ne cachait pas sa joie. Ce soir-là, elle était au presbytère dans la chambre des apparitions avec Marija et Jakov. À ce moment-là, Vicka était particulièrement heureuse. Ce n'est pas étonnant. Elles ne se sont pas vues depuis cinquante jours.

Ce n'étaient pas des jours faciles pour Vicka. En plein hiver, il fallait accomplir son engagement de monter tous les jours, seule, au mont Krizevac. L'engagement était triple, mais personne ne

---

1. Témoignage de Mgr Paul Hnilica, page 213.

le connaissait à part Vicka. Nous savons seulement que ses maux de tête avaient disparu. Pendant ces cinquante jours, la Vierge l'en avait libérée parce que cela n'allait pas avec ses autres obligations. Ce n'était pas une libération définitive de ses misères. Vicka savait bien que ses maux de tête et tout ce qui s'ensuivait, allaient continuer, mais elle ne savait pas quand.

Ces maux de tête ont recommencé le 28 février. Ensuite, tout allait comme d'habitude, jusqu'au 23 avril. Ce jour-là, la Vierge lui a de nouveau donné des conditions à remplir et l'une d'elle, était de ne pas lui apparaître pendant quarante jours, c'est-à-dire jusqu'au 4 juin. Cette fois, la Vierge était plus exigeante. Elle n'a pas demandé à Vicka si elle acceptait ses conditions. Elle les Lui a simplement imposées. Elle ne l'a pas non plus libérée de ses maux de tête. Vicka a accepté toutes ces conditions sans aucune objection intérieure et elle a commencé à les accomplir consciencieusement. J'aimerais mentionner ici un fait intéressant. Pendant plus de quinze mois, je l'ai déjà dit, la Vierge Marie lui apparaissait au deuxième Notre Père sur les paroles: «Que ta Volonté soit faite.» Le 6 janvier, elle est apparue aussi au deuxième «Notre Père», mais cette fois-ci sur les paroles «que ton règne arrive». C'était nouveau! Il y a eu aussi d'autres changements.

Pendant cette période, Vicka avait subi une seconde opération semblable à celle de 1984. Elle est allée à Zagreb le 27 mai 1986 dans l'espoir que l'intervention serait plus facile et qu'elle serait complètement rétablie pour le 4 juin, jour où elle devait revoir la Vierge. Mais Marie avait tout organisé autrement. L'opération plus ou moins réussie, a été effectuée seulement le 7 juin, en la fête du Sacré-Coeur de Marie.

La Vierge Marie lui est apparue, le 4 juin comme prévu et les jours suivants, y compris le jour de son opération, le 7 juin 1986. Revenons au 4 juin où des surprises l'attendaient. Avant son opération à Zagreb, Vicka vivait chez son cousin Skender. Ils s'étaient mis d'accord pour réciter le chapelet vers les 6 heures du soir et attendre dans la prière l'arrivée de la Vierge pour 6 heures 40. Mais la Vierge aimait, de temps à autre, causer des surprises.

Ce jour-là, aux alentours de midi, Skender est allé faire des courses en ville. Vicka est restée seule pour préparer le dîner. Au moment où elle était en train de faire du nettoyage dans la cuisine, quelque chose l'a secouée et elle s'est retrouvée, sans ouvrir la porte, ni marcher, dans la salle de séjour. La Vierge Marie l'attendait là. Vicka est tombée à genoux, comme toujours, et elles se sont parlées. La Vierge Marie, joyeuse, l'a félicitée et remerciée d'avoir rempli ses obligations. Elle l'a saluée et Elle est partie! La Vierge Marie ne cesse pas de m'étonner par la beauté de ses «surprises». Elle n'est pas apparue comme Vicka et Skender s'y attendaient, afin qu'on comprenne que sa venue n'est ni le fruit de l'imagination, ni de l'hallucination, mais le choix libre du moment, du lieu et de la manière d'apparaître. Les jours suivants, la Vierge est apparue comme d'habitude. Le 7 juin, elle lui apparaît pendant qu'elle était dans son lit d'hôpital, immédiatement après sa deuxième opération.

Cette fois-ci on ne l'a pas laissée sortir de l'hôpital tout de suite. Le onzième jour après l'opération, on lui a enlevé les points de suture et ensuite elle a pu rentrer chez elle, à Bijakovići. Là, elle devait continuer à garder le lit, sur le conseil de son médecin. Dans cet état, étendue sur son lit, elle attendait l'heure de ses rencontres. Naturellement cela ne dérangeait ni l'une ni l'autre. Ces premiers jours chez elle, Vicka n'avait pas de maux de tête. «La Vierge sait que je n'aurais pas pu supporter ces deux fardeaux», disait Vicka.

Oui, les jours passaient péniblement, car à cela s'ajoutait une autre misère, celle de très fréquents vomissements. Vicka reconnaît que c'était une de ses plus difficiles épreuves. Les examens médicaux n'ont rien révélé et furent une fatigue de plus à un point tel qu'elle ne pouvait pas se tenir debout et personne ne pouvait l'aider. Sa seule consolation était sa rencontre quotidienne avec la Vierge. Vicka ne Lui a jamais demandé de lui enlever cette épreuve. Vicka me décrit l'entretien du 23 août comme ceci:

— La Vierge est venue d'une façon inattendue et en dehors du temps habituel.

— Et comment?

— Ce jour-là, j'avais bien mal à la tête. J'ai passé toute la journée avec les pèlerins et à la fin je n'en pouvais plus. Je l'ai dit à ma sœur Ana et je suis montée dans ma chambre pour me reposer un peu. Je n'aime pas rester avec les gens quand je ne suis pas joyeuse.

— Et alors?

— Je me suis trouvée seule dans ma chambre, mais je ne voulais pas dormir. Je me suis assise sur le divan, j'ai pris mon chapelet et j'ai commencé à prier. Je venais de terminer les mystères joyeux et je vis... la Vierge Marie et je tombai à genoux. Elle m'a saluée et a commencé à me parler.

— Et toi?

— Que veux-tu que je fasse? Quand c'est Elle qui parle, je me tais, mais quelque chose de désagréable a transpercé mon âme.

— Qu'est-ce que c'était?

— Je pensais que c'était peut-être ma dernière apparition.

— Que pouvons-nous Vicka? Cela va sûrement venir un jour.

— Je le sais, moi aussi, mais ce n'est pas si simple que ça.

— Bon. Cela ne s'est pas produit, mais que pensais-tu ensuite?

— Mais je n'avais pas le temps de réfléchir. La Vierge a tout de suite commencé à me dire la raison de sa venue.

— Et qu'est-ce que c'était?

— Pour me proposer de nouveau un engagement et me dire qu'Elle ne m'apparaîtra pas avant le 20 octobre.

— C'est bien cela, mais on dit que le 22 avril la Vierge t'a dévoilé le neuvième secret?

— Oui, oui, elle me l'a dit.

— On m'a raconté que tu avais pleuré alors?

— Probablement que oui, puisqu'on te l'a dit.

— Tu as vraisemblablement pleuré à cause de la gravité du secret?

— Je ne dis rien. Je pense que toi et moi, nous avons appris à parler des secrets.

— Puisque c'est comme ça! On dit que mercredi le 23 avril la Vierge a cessé de te parler de l'avenir du monde. Elle t'en a parlé pendant plus de cent jours (17 avril 1985 au 23 avril 1986).

— Oui, oui, on te l'a bien dit.

— As-tu dit quelque chose à la Vierge?

— Que veux-tu que je lui dise? Elle m'a bien expliqué ce qu'Elle avait à me dire, ensuite, Elle m'a saluée et puis Elle est partie.

— T'a-t-Elle demandé si tu acceptais les conditions?

— Rien. Il n'y avait pas de pourparlers. Elle m'a dit que nous nous verrions le soir et que ce sera sa dernière pause.

— Et pour plus tard?

— Pour plus tard, je n'en sais rien. Il faut maintenant remplir les conditions qu'Elle m'a données en attendant son retour du 20 octobre et puis on verra. C'est Elle qui sait tout.

— C'est bien ça, Vicka. On te prépare des bouchées doubles (Tu vas avoir à souffrir davantage).

Et puis les jours passaient. Vicka remplissait ses obligations dans la joie. Ses maux de tête ont resurgi, mais Vicka avait l'air en meilleure santé. Elle faisait la navette entre la colline des apparitions et Krizevac et vice-versa. Dans cette attente, le grand jour du 20 octobre s'est enfin levé. Vicka de jour en jour le vivait dans son cœur. Quand le jour tant désiré est arrivé, elle s'est retirée dans sa chambre, vers 3 heures de l'après-midi, parce qu'elle avait mal à la tête et pour se préparer à sa rencontre avec la Vierge. Elle a commencé à prier avec sa sœur Ana. Peu après se sont joints à elle deux prêtres canadiens jumeaux, deux religieuses italiennes et un petit groupe de jeunes italiens. Ces derniers étaient arrivés à Medjugorje depuis environ un mois pour y chercher une guérison complète de la drogue et d'autres misères.

Tous prient avec ferveur.

À un moment donné Vicka commence à s'agiter. Elle aperçoit trois éclairs qui chaque fois annoncent la venue de la Vierge. Elle a à peine le temps de s'agenouiller, la Vierge est devant elle.

Lorsque tous se rendirent compte qu'Elle était là, ils tombèrent à genoux en priant et implorant chacun pour soi et dans sa propre langue.

Vicka est rayonnante. Depuis presque deux mois elle n'a pas rencontré la Vierge. Marie est radieuse et porte l'habit de «fête» que Vicka avait rarement vu. Cette fois aussi Elle l'a félicitée et remerciée pour l'engagement accompli avec ferveur. Elle salue Vicka et s'en va.

Comme c'était la dernière pause, elle se réjouissait pour les rencontres à venir qui continuent toujours mais d'une façon nouvelle. La Vierge ne lui apparaît plus à l'heure habituelle, mais à une heure inattendue entre 3 et 5 heures de l'après-midi, lorsque Vicka sort de son état de coma pour y sombrer de nouveau après l'apparition. Vicka est souvent seule pour vivre ces moments. On voit cependant que la Vierge reste avec elle plus longuement que d'habitude.

En conclusion, nous pourrions dire ceci: VICKA avait trois pauses pendant lesquelles elle ne voyait pas la Vierge. Chaque fois, elle a été désignée pour remplir trois conditions. Les trois fois la Vierge lui a indiqué la cause et le but de cet engagement. Chaque fois, la Vierge l'a félicitée et l'a remerciée pour le devoir accompli. Pendant la première pause, la Vierge l'avait complètement libérée de ces étranges maux de tête, pendant la deuxième et la troisième pause les maux de tête surgissaient par période et après la troisième pause ses maux de tête devenaient manifestement et (visiblement) plus forts et plus prolongés. Vicka dit aussi que les conditions les plus pénibles étaient pendant la deuxième pause. (C'est probablement pour cela qu'elle était la plus courte.)

Après tout ce que nous avons vu de clair et de moins clair, nous ne pouvons dire positivement que ceci: Vicka pourra (elle dit «bientôt») nous révéler en quoi consistaient ces trois engagements pendant ces trois «pauses». Elle pourra aussi faire connaître leur but. Vicka sait aussi combien de temps durera son embarrassant «sommeil» de coma. Mais pour le moment (août 1987) nous devons nous contenter de ce qui nous a été dit, et avoir beaucoup de respect pour ce que nous ignorons.

Yanko Bubalo

Une goutte miraculeuse

Il a été dit plusieurs fois déjà, que les voyants, tels qu'ils sont, avec leurs ressemblances et leurs différences, demeurent les premiers témoins des apparitions de Medjugorje. Oui, ils sont les témoins manifestes de cette extraordinaire action de Dieu et de Notre Dame en ce lieu. En ce sens, j'ajouterais encore un autre témoignage.

J'aimerais vous donner une faible esquisse de la plus sereine et de la plus discrète des six, la voyante Marija. Dès le début, la Vierge la tenait au centre des événements et en même temps à l'écart. Ainsi Marija, le premier jour des apparitions (24 juin 1981), n'a pas vu la Vierge Marie, n'étant pas sur les lieux. Le deuxième jour, le 25 juin 1981, elle ne L'a pas vue tout de suite en même temps que les autres. Lorsque ce jour-là, ils avaient couru pour s'approcher de la Vierge Marie, Marija, qui les accompagnait, était la plus rapide, mais au moment où les autres étaient tombés à genoux en extase devant le visage splendide de la Vierge, Marija ne la voyait qu'à travers un écran de lumière de façon imprécise. La Vierge a rapidement fortifié sa foi en se montrant clairement dans toute sa beauté. IVANKA fut la première à Lui adresser la parole.

Jusqu'à nos jours les faits semblables se sont répétés. Déjà le troisième jour, au retour à la maison de l'endroit des apparitions, la Vierge la tenait à l'écart et près d'une mare sur les chemins égarés de Podbrdo, à distance des autres. La Vierge Marie lui apparaît à elle toute seule, portant une grande croix dans ses mains. Elle va dire à Marija effrayée, ces paroles significatives et valables pour toute apparition. «Paix, paix, rien que la paix! La paix doit régner entre Dieu et l'homme et entre les humains.» C'est effectivement l'alpha et l'oméga de tous les messages de Marie. Personne ne se rendait compte que, précisément dès ce moment-là, Marija allait devenir la plus importante messagère de Marie. Il ne fallut pas attendre longtemps pour qu'une autre occasion se présente pour Marija d'être au service de la Vierge d'une façon particulière.

Oui! C'était le 2 août de cette première année des apparitions. Quelques-uns s'en souviennent encore. La Vierge Marie est apparue à Marija dans sa maison après l'apparition à l'heure habituelle de l'office du soir. Elle lui a dit de rassembler tout le voisinage dans le champ près des maisons.

«Quel embarras, pensait Marija! Qui suis-je pour convoquer tous ces gens fatigués à l'endroit indiqué.» Mais elle a fait ce qu'il lui a été demandé dans l'obéissance et la confiance et il s'est produit cet avertissement significatif, peut-être le plus important de tous les avertissements jusqu'à ce jour. Lorsque Marija, entourée de ces gens-là, avait commencé à prier, la Vierge est venue pour donner un message inattendu. La Vierge a invité, par l'intermédiaire de Marija, tous ceux et celles qui étaient présents, à venir La toucher. Tous se sont mis en rang et chacun avançait pour toucher la Vierge à l'endroit que Marija lui indiquait. Et voilà que quelque chose de singulier s'est produit. Le contact, des mains de beaucoup de gens, laissait une empreinte sale sur la robe de la Vierge Marie. Lorsque Marija a vu la Vierge «noircie» s'éloigner, elle a éclaté en sanglots et a pleuré amèrement. Un des plus fidèles va tout de suite l'approcher et lui demander: «Qu'est-ce qu'il y a Marija? Que s'est-il passé?» Toute en larmes, Marija lui a raconté ce qui était arrivé à la Vierge Marie lorsque les gens l'ont touchée. Et cet interlocuteur à haute voix supplia les gens: «Mes frères, demain, tous à confesse!» (au sacrement du pardon). Le message était clair! Il se passe de commentaires.

Le lendemain, les prêtres qui confessaient là régulièrement étaient étonnés de voir tant de monde s'entasser pour recevoir le sacrement du Pardon. Je vais compléter cette particularité de l'attitude de la Vierge envers Marija par d'autres faits. En septembre 1981, Marija est allée étudier à Mostar. Là, la Vierge Marie lui apparaissait à elle seule, mais d'une façon particulière. Pendant des mois, la Vierge priait avec elle pour la conversion des pécheurs et rien d'autre. Marija ne posait pas de question à la Vierge et la Vierge Marie ne lui demandait rien. Marija rentrait chez elle à Bijakovici pour la fin de semaine. Elle assistait aux apparitions avec les autres voyants. C'était différent.

En janvier 1983, la Vierge a commencé à raconter sa vie aux voyants. Avec Marija ce n'était pas pareil. Dans ses rencontres avec la Vierge à Mostar, pendant la semaine, il n'y avait rien de changé. Elle continuait à prier. La plupart du temps ces rencontres avaient lieu à l'église franciscaine de Mostar, dans un coin du choeur. Lorsqu'elle rentrait chez elle, le vendredi après-midi, la Vierge Marie, à l'apparition du soir lui donnait un résumé de tout ce qu'Elle avait dit aux autres voyants les jours précédents, pour la mettre à jour. Elle lui a parlé de *Sa vie* plus qu'aux autres voyants à l'exception de VICKA.

Finalement le choix est tombé sur Marija pour transmettre les messages du «jeudi». Depuis le 1er mars 1984 jusqu'à nos jours, tous les messages ont été transmis par Marija à part cinq ou six. Le jeudi était le jour désiré de tous. Cela ne s'explique pas par le hasard! Le jeudi est le jour où l'amour de Dieu envers l'homme s'est manifesté d'une façon particulière. Cet amour maintenant, Dieu nous le fait comprendre, nous le démontre à travers les messages qui nous invitent à nous ressaisir, à rechercher la paix et mieux connaître le chemin qui conduit au Seigneur. La Vierge et Marija étaient toujours fidèles à ce rendez-vous spécial. Quel que soit l'endroit où Marija se trouvait, à Split, Trogir, Zadar, Slavonski Brod ou ailleurs... la rencontre avait lieu, le message donné et cela continue... En ce moment Marija accomplit une autre tâche. Depuis qu'Ivan est parti à son service militaire, la Vierge a demandé à Marija de prendre sa place comme responsable du groupe du soir. Les jeunes de ce groupe, guidés par la Vierge, font parfois, pour répondre à son appel, des sacrifices irraisonnables à notre point de vue. Il y a des jours, par exemple, où la Vierge leur dit: «Vendredi prochain soyez à Krizevac à minuit exactement pour prier avec moi. » Le groupe doit toujours être accompagné par l'un des voyants. Maintenant c'est le tour à notre douce Marija d'être le chef du groupe.

Dans la nuit du 4 au 5 août 1986 ce groupe fidèle et homogène, guidé par Marija, se trouvait à la colline des apparitions. Mais il n'était pas seul, une foule innombrable de gens les entouraient, venus de partout pour vénérer la Vierge Marie. Même s'il y a plusieurs voyants présents dans le groupe, la Vierge Marie ne s'adresse qu'à un seul. C'était en l'occurrence Marija. Un prêtre présent à la colline ce soir-là a noté ceci (O.B. HEKIC): Podbrdo — Medjugorje du 4 au 5 août 1986 entre 23 et 24 heures. Après le chapelet et l'apparition extraordinaire, la voyante Marija nous a communiqué ceci: « Ce soir, disait Marija, la Vierge était très contente de nous voir en si grand nombre (10 000 environ). Je lui ai demandé de nous bénir tous. Pendant un moment Elle a prié sur nous, les mains tendues et ensuite Elle nous a tous bénis du signe de la croix. Elle était joyeuse de nous voir aussi nombreux et surtout de Lui avoir offert nos sacrifices à ses intentions. Elle nous en remerciait. Elle nous a dit qu'Elle nous aimait tous et nous a invités à transmettre cet amour dans nos maisons et à vivre ses messages. Plus particulièrement Elle a dit qu'Elle aimait d'un grand amour tous ceux et celles présents ce soir-là à la colline. C'était tout », a terminé Marija. Cette délicate et gracieuse jeune fille est devenue une messagère particulière de la Vierge; messagère que le monde d'aujourd'hui n'avait jamais encore connue.

Malgré tout cela la Vierge ne la « gâtait » pas trop, surtout depuis que Vicka accomplit sa « mission » spéciale. Marija est jour et nuit au service des pèlerins. Ils la laissent rarement en paix. Chaque jour elle assiste aux apparitions. Elle y est souvent seule, car ni Jakov, ni Vicka ne peuvent s'y rendre. Il semble parfois que la Vierge ne la traite pas comme les autres. Par exemple, elle est seule à ne pas savoir la date du grand signe qui va se manifester à la colline des premières apparitions. Nous savons bien qu'au point de vue humain ce n'est pas toujours facile à accepter. Mais Marija est sincère quand elle nous dit que cela ne la préoccupe pas, parce qu'au fond elle reçoit des confidences que la Vierge ne dit pas aux autres, mais à elle seule. Marija en parle rarement. Elle m'a pourtant raconté une belle vision que la Vierge lui avait préparée comme surprise.

Marija raconte: «Un beau matin j'étais seule dans ma chambre, plongée dans une douce et profonde prière.

— Et puis alors?

— J'ai eu une vision merveilleuse.

— Qu'as-tu vu?

— J'ai vu une fleur, comme je n'en ai jamais vu.

— La fleur poussait où...?

— La fleur poussait mais...

— Quoi... «mais»?

— La fleur s'est fanée. La tête penchée comme si elle était morte. C'était triste à voir.

— Comment était cette fleur?

— Elle était blanche, mais je ne sais pas comment la nommer.

— Et alors?

— Alors j'ai vu au-dessus d'elle une goutte merveilleuse.

— Petite ou...?

— Elle était assez grosse.

— Que s'est-il passé?

— Elle est tombée sur la tête de la fleur fanée.

— Et puis?

— La fleur s'est épanouie. C'était beau à voir.

— D'un seul coup ou progressivement?

— Progressivement.

— Et alors?

— La vision de la fleur a disparu.

— Que pensais-tu après?

— Pas grand-chose. J'y pensais un peu et puis j'ai continué à prier.

— As-tu raconté cela à quelqu'un?

— Pas cette fois-ci, mais après...

— Tu as dit que la Vierge t'avait donné une explication un jour?

— Oui, par après...

— Pendant une apparition régulière ou...?

— Non, c'était une fois en haut, à la colline.

— Est-ce que la Vierge te l'a dit d'Elle-même ou bien tu Lui as demandé?

— Je lui ai demandé.

— Qu'a-t-Elle dit?

— Elle m'a dit que cette fleur était l'image de notre âme. Elle s'épanouit dans la grâce de Dieu et se fane lorsqu'on est dans le péché. Et la goutte, c'est l'image de la grâce de Dieu. L'âme qui se fane par le péché, va s'épanouir avec la grâce de Dieu dans le repentir et la confession. Elle m'a dit aussi de vivre le sacrement du pardon dans la joie de la rencontre avec Dieu. Cela s'adresse à moi et à nous tous, bien sûr.»

C'est certain que Marija doit avoir vécu d'autres expériences semblables, mais elle les garde précieusement dans son cœur et dans son petit cahier.

Ainsi est Marija, la voyante de la Vierge Marie.

Yanko Bubalo

Témoignage de Mgr Paul Hnilica

Mgr Paul HNILICA, évêque auxiliaire de Rome et évêque titulaire de Rusoda, écrit:

«Après ma troisième visite dans ces lieux, j'ai pu disposer d'un peu plus de temps pour m'entretenir avec les voyants et aussi avec des personnes qui vivent près d'eux quotidiennement. Je voulais examiner et comprendre quelles sont les raisons de celui qui parle contre Medjugorje et s'y oppose.

Je suis convaincu qu'il s'agit là de calomnies.

Ces enfants ne sont pas manipulés. Ils sont simples et sincères. Je vois un aspect surnaturel dans ces événements. Ils nous obligent moralement à les considérer avec beaucoup de sérieux. Selon ma conscience, j'en viens à la conclusion que la voix de Dieu parle fortement à Medjugorje. Y viennent une foule de gens pour manifester dans la piété leur profonde conviction dans ces événements-là.

Ici à Medjugorje, il se passe quelque chose d'extraordinaire. Bien que les événements aient lieu dans un petit pays, mal connu, ils se produisent à l'intérieur de l'Église et dans l'intérêt de toute l'humanité.

On ne peut pas et il ne faut pas plaisanter avec les dons de Dieu.»

(Tiré de «Madre di Dio» — 1986/4)

Mgr Paul HNILICA,
Évêque auxiliaire de Rome,
Évêque titulaire de Rusoda

Prières

MIRTHA Ô MIRTHA

Paix, ô douce Paix,
sois notre espérance.

Reine de la Paix,
reçois notre louange.
De tous dangers, protège-nous.
Dans les combats, reste avec nous.

Pour glorifier le Père Éternel,
donne-nous ton amour.

Ô Trinité Sainte, avec Notre Mère,
acclamons la miséricorde,
la puissance de votre Éternel Amour.

Reine de la Paix, entends la prière
de tes enfants de la terre
Te suppliant de leur donner la paix.

Amen.

24 février 1986

PRIÈRE DU DON TOTAL

Père Éternel, mon Dieu et mon Tout, c'est avec toute la sincérité et la conviction dont je suis capable que je renouvelle aujourd'hui l'offrande totale de tout mon être.

Je m'abandonne entièrement entre Vos mains. Faites de moi ce que Vous voudrez.

Fixez-moi définitivement sur la croix avec Votre Divin Fils, mon Bien-Aimé. J'accepte, même je demande toutes les souffrances physiques, morales et spirituelles, que dans Votre Sagesse infinie, il Vous plaira de m'envoyer, afin d'être plus près de mon Bien-Aimé pour le consoler, expier, mériter et sauver des âmes, beaucoup d'âmes qui Vous glorifieront pendant toute l'éternité.

Et merci, mon Dieu, du fond du cœur pour toutes les souffrances que je reconnais être d'insignes faveurs de Votre infinie Bonté, que Vous m'avez envoyées dans le passé. J'accepte, dès maintenant toutes celles que Vous me réservez pour l'avenir, que je recevrai toujours comme de grandes faveurs de Votre paternelle Bonté, à Son enfant le (la) plus misérable, mais sincère, aimant(e) et confiant(e).

Tout ce que je Vous demande c'est Votre amour, Votre secours et la grâce de mourir mille fois plutôt que de Vous perdre par le péché.

Je Vous remercie de me faire comprendre toutes ces vérités et d'aimer la Croix en union avec Votre Divin Fils pour Votre plus grande gloire et le salut des âmes.

Ô mon Dieu, avec Votre Divin Fils, mon Bien-Aimé, par les mains de Marie Immaculée, je remets dès maintenant mon âme entre Vos mains. Recevez le Don Total de tout amour. Tout est consommé par l'amour.

Amen.

Avec la permission de l'Ordinaire
Montréal, le 14 octobre 1981

LE CREDO DE L'ÂME DANS LA TENTATION

Arrière, Satan, tu arrives trop tard, j'appartiens à JÉSUS, j'appartiens à MARIE par mon sacerdoce et pour toujours! Ma volonté se refuse de croire ce que tu me suggères pour me détruire.

Je crois à ce DIEU qui m'a créé.
Je crois en Sa Miséricorde Infinie pour moi.
Je crois à JÉSUS CRUCIFIÉ qui m'a racheté et qui me purifie chaque jour par Son Précieux-Sang et l'Alliance.
Je crois à l'ESPRIT SAINT présent en moi et à ses dons pour me fortifier dans le combat.
Je crois à l'intercession de MARIE, REINE DE LA PAIX.
Je crois à son amour maternel pour son enfant chéri, et je me place dans ses bras où je vais me réfugier pour toujours.
Je crois dans l'état d'âme où Tu me places, mon Dieu!
Dans cet abandon que je ressens, Tu me fais marcher totalement dans la foi.
J'accepte tout sans comprendre, m'abandonnant totalement à Ta Sainte Volonté sur moi.
Je me blottis totalement entre les bras de Marie Immaculée comme un tout petit enfant qui a besoin de toute la tendresse de sa mère, en redisant à DIEU LE PÈRE: « Je Vous bénis et Vous rends grâce pour ces épreuves que j'accepte avec la grâce de DIEU afin de LE glorifier éternellement. »

MON DIEU ! au NOM de JÉSUS CRUCIFIÉ, par Marie, Reine de la Paix, si c'est Votre Sainte et Adorable Volonté, faites que je puisse retrouver cette paix du cœur, de l'âme et de l'esprit !
Je VOUS en remercie et Vous offre tout par amour !

AMEN !

17 juillet 1985

PRIÈRE À LA VIERGE DE L'ANGOISSE[1]

Mon divin Rédempteur,
suspendu aux trois clous de l'arbre immortel
de la Très Sainte Croix,
agonisant de souffrances inconcevables,
de vos yeux moribonds
daignez jeter un regard au malheureux pécheur
qui gît agenouillé à vos pieds,
pour vous demander le remède à mon grand besoin,
au nom de la Très Sainte Vierge de l'Angoisse que vous désiriez,
en votre heure d'agonie, nous laisser comme Notre Mère.
Seigneur, ne regardez pas mes péchés
qui sont abominables
et appellent les flots de votre miséricorde.
Mais contemplez le visage douloureux de votre Mère pure
et par les larmes amères qui sur Elle
brillent comme des diamants offerts pour mon salut,
daignez seconder favorablement ma demande
parce qu'elle est l'expression d'un cœur tourmenté.
Ô mon doux Rédempteur,
ne me laissez pas agoniser ici à vos pieds
dans les cris de mes douleurs et les épines de mes remords,
mais écoutez ma demande pour que,
vivant dans la reconnaissance de votre infinie miséricorde,
je puisse avoir la force de me relever de la poussière de la terre
pour prendre ma croix et suivre le chemin vers la Patrie Céleste
où Vous vivez et régnez avec Dieu le Père
et Dieu le Saint-Esprit pour les siècles des siècles.
AMEN.

1. Notre-Dame des Douleurs.

PRIÈRE AU PÈRE ÉTERNEL

Père Éternel, mon Dieu... mon Tout, par les mains de Marie Médiatrice de toutes grâces, faites miséricorde à ces pauvres enfants qu'Elle aime tant, ces pauvres âmes!

Et par le Précieux Sang de votre Fils bien-aimé, purifiez-les toutes afin qu'elles Vous rendent gloire un jour dans le ciel.

Je ne vous demande pour moi qu'une chose; augmentez mon amour pour Vous seul, mon Dieu... mon Tout.

Mon Dieu, dans votre amour infini, protégez votre Église, le Saint-Père, tous les prêtres et les missionnaires; donnez-nous de saints prêtres!

Père Éternel, je crois en Vous, je Vous aime et je Vous remercie. Avec Marie, j'ai confiance et j'espère tout de votre amour.

Ainsi soit-il.

Avec la permission de l'Ordinaire
Montréal, le 23 novembre 1956.

VENI CREATOR

Veni, Creator Spiritus; mentes tuorum visita, imple superna gratia quae tu creasti pectora.	Viens, Esprit créateur, visite les âmes de tes fidèles; emplis de la grâce d'en-haut les cœurs que tu as créés.
Qui diceris Paraclitus, altissimi donum Dei, fons vivus, ignis, caritas et spiritalis unctio.	On te nomme le Conseiller, le Don du Dieu très-haut, source vive, flamme, charité, et l'onction de la grâce.
Tu septiformis munere, digitus paternae dexterae, tu rite promissum Patris, sermone ditans guttura.	Tu es l'Esprit aux sept dons, le doigt de la droite du Père, promesse authentique du Père qui rend nos langues éloquentes.
Accende lumen sensibus, infunde amorem cordibus, infirma nostri corporis virtute firmans perpeti.	Allume la clarté en nos âmes, emplis d'amour nos cœurs, et fortifie nos faibles corps de ta vigueur éternelle.
Hostem repellas longius, pacémque dones protinus; ductore sic te praevio vitémus omne noxium.	Repousse notre ennemi loin de nous procure-nous la paix sans regard, pour que, sous ta conduite, nous évitions tout mal.
Per te sciamus da Patrem, noscamus atque Filium, teque utriusque Spiritum credamus omni tempore.	Fais-nous connaître le Père, et révèle-nous le Fils; et toi, leur commun Esprit, fais-nous toujours croire en toi.
Deo Patri sit gloria et Filio, qui a mortuis surrexit, ac Paraclito, in saeculorum saecula. Amen.	Gloire à Dieu le Père, au Fils ressuscité des morts, et à l'Esprit de Conseil, à travers tous les siècles. Amen.

SALVE REGINA

Salve Regina, Mater misericordiae
Vita dulcedo et spes nostra salve.
Ad te clamamus exsules filii Evae
Ad te suspiramus gementes et flentes
In hac lacrimarum valle.
Eia ergo advocata nostra
Illos tuos misericordes oculos
Ad nos converte
Et Jesum benedictum fructum
Ventris tui
Nobis post hoc exsilium ostende
O clemens, O pia,
O dulcis Virgo Maria.

Salut ô Reine, Mère de miséricorde, notre vie, notre douceur, notre espérance, salut! Enfant d'Ève, exilés, nous crions vers vous; vers vous nous soupirons, gémissant et pleurant dans cette vallée de larmes. Ô vous, notre Avocate, tournez vers nous vos regards miséricordieux. Et après cet exil, montrez-nous Jésus, le fruit béni de vos entrailles, ô clémente, ô miséricordieuse, ô douce Vierge Marie!

LA SOCIÉTÉ DES SAINTS-APÔTRES

La Société des Saints-Apôtres est une société de vie commune sans vœux publics dont la vie fraternelle, la consécration évangélique et la mission apostolique sont les éléments fondamentaux.

Le but de la société des Saints-Apôtres est d'éveiller et d'accompagner des jeunes et *surtout des adultes* dans la vocation au *ministère presbytéral* et aux autres ministères dans l'Église, sacrement de salut.

Elle fut reconnue comme Société de vie commune, de droit diocésain, le quinze août mil neuf cent soixante-cinq, en la fête de l'Assomption de la Très Sainte Vierge Marie.

LE SIGNE ÉTOILÉ DES SAINTS-APÔTRES

Origine — Un signe de l'Apocalypse: «Une femme revêtue du soleil, la lune sous ses pieds, et *une couronne de douze étoiles sur sa tête*» (Ap 12, 1).

Une grande étoile — Porteuse d'un monogramme bien connu et encerclé d'une couronne de douze étoiles plus petites. La Reine Marie: Mère du Christ, le Roi des Rois qu'elle donne au monde, et entourée des princes de l'Église, les saints apôtres.

Les douze étoiles — Sont pleines pour exprimer la plénitude du sacerdoce qu'ont reçu les apôtres.

La couleur rouge — Figure l'amour et la charité qui doivent animer chacun des membres de la Société selon leur devise: «*Par-dessus tout la charité*» (Col 3, 14).

MIRTHA, Ô MIRTHA!

(PRED SVOJOM GOSPOM — CHANT À MA MADONE)

Musique: *Georgette Faniel*
Texte: *Janko Bubalo*

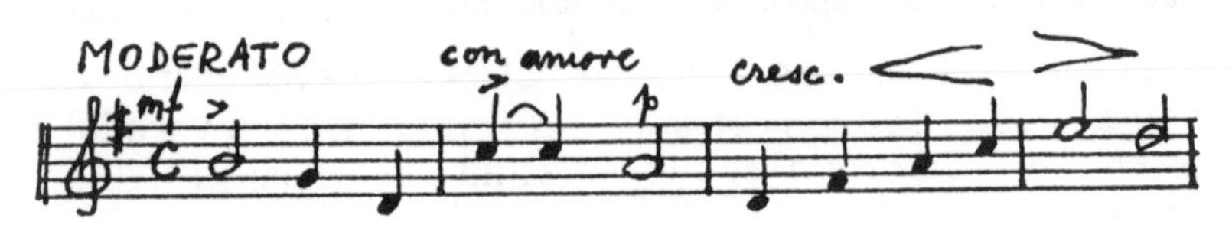

1. MA - RI - JO MAJ - KO, PRED TOBOM NAS E - VO,
2. PRED TOBOM, MAJ - KO, E - VO DJECE TVOJE
3. NEK' SVE SE ZASTA - VE SMJEŠTAJU U JEDNU!
4. PRU - ŽI IZ - NAD NAS SVOJE MOĆNE RUKE
5. NEK' POTEKU RIJE - KE IZ SR - DA - CA LJUDI

1. S O - BILJEM SU - ZA, BO - LO - VA I RA - NA,
2. SVAKO - JA - KE BO - JE, BIJELA, CR - NA, ŽU - TA
3. ČOVJEK U ČO - VJE - KU SUSRETNE TVOG SI - NA.
4. BLA - GOSLOV PROSPI IZNAD SVOG PLA - NE - TA.
5. GLADNI NEK' SE NAHRANI LJUBAVLJU I MI - ROM

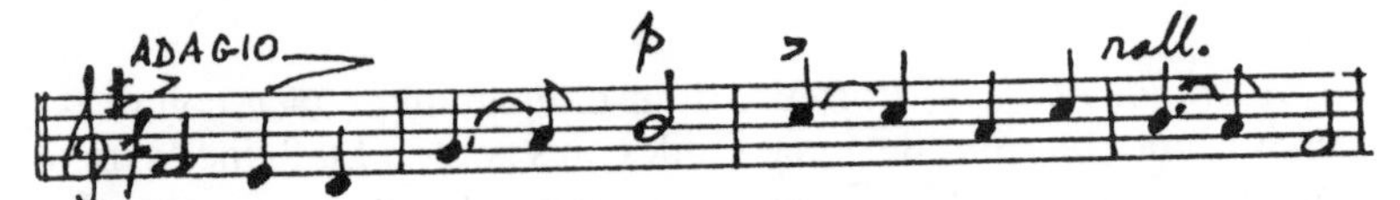

1. A TI IH PRE - DAJ LJUBLJENOMU SI — NU
2. O ČUJ NAS MAJ - KO S LJUBAV - LJU NAS PRI - MI
3. I NE - KA ZEMLJA SVA UTO - NE U BRATSTVU
4. NA - RO - DI SVI DA SPOZNA - DNU VEĆ JE - DNOM
5. PRO - PETI NAŠ NEK' RANA - MA PRE - SVE - TIM

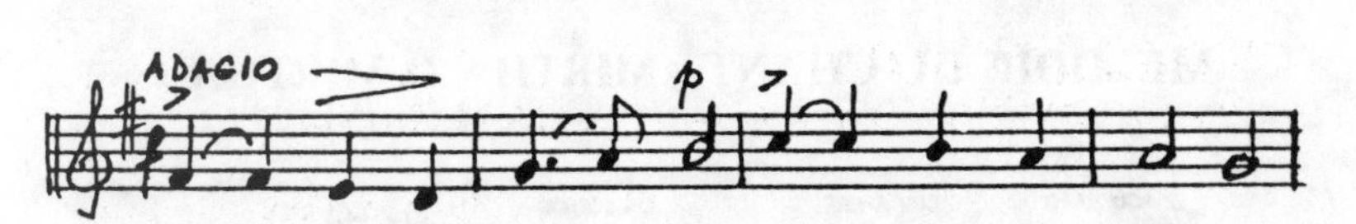

1. KO POKLON NA - ŠIH IZMU - ČENIH DA - NA,
2. U TO - PLO KRI - LO MAJČINSKOGA SKU - TA,
3. ZAJEDNIŠTVA NO - VOG BEZMRŽNJE I BEZ TMI - NA,
4. DA JE NOVA LJU - BAV U TE - BI ZA - ČE - TA,
5. ZA - VLADA NA - MA I NA - ŠIM SVE - MI - ROM.

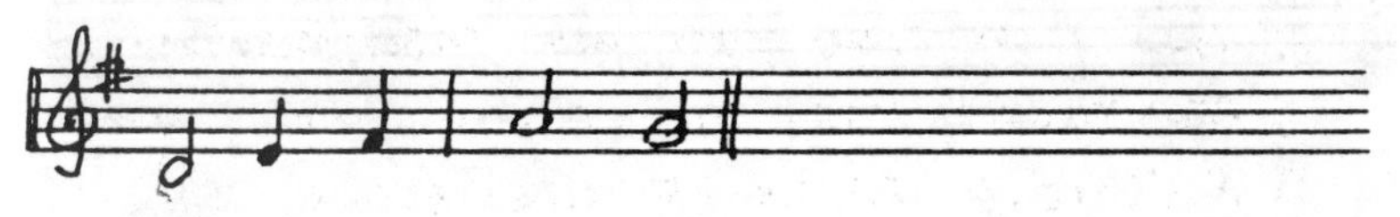

1.-5. MARI - JO MAJ - KO!

MÉLODIE DU CHANT «MIRTHA Ô MIRTHA»

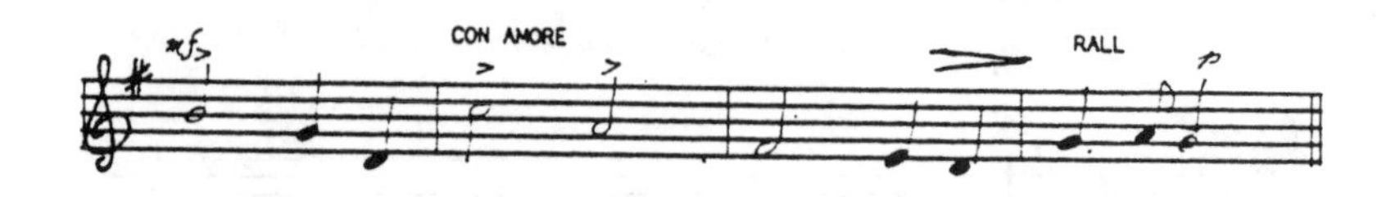

Musique: *Georgette Faniel,* 19 mars 1986, Montréal, QC, Canada.

Table des matières

TROISIÈME PARTIE

QUATRIÈME PARTIE

CINQUIÈME PARTIE

SIXIÈME PARTIE

Ami(e) lecteur(trice)

Ce témoignage que vous avez lu vous a présenté le merveilleux visage de Marie. Il vous a présenté aussi la miséricorde du Père, l'amour infini du Fils et la puissance de l'Esprit Saint dans les âmes. Ce que Dieu a fait ici, Il peut le faire en vous. Soyez-en certain.

DIEU VOUS AIME. Maintenant peut-être avez-vous le goût de faire partager la joie que vous avez ressentie en lisant ce témoignage. C'est pourquoi nous vous invitons à le diffuser pour la Gloire du Père et le triomphe de Marie Reine de la Paix.

Vous pouvez le faire en vous souvenant du mot de l'Écriture:

> «Vos offrandes sont comme
> un parfum d'une agréable
> odeur qui monte vers Dieu.»

Nous vous remercions à l'avance pour votre générosité.

Soyez béni(e) et assuré(e) de nos prières.

Père Guy Girard ptre s.ss.a

Père Guy Girard, s.ss.a.

Père Armand Girard s.ss.a.

Père Armand Girard, s.ss.a.

Adressez à: Père GUY GIRARD, s.ss.a.
Maison Saint-Pascal,
3719 boul. Gouin Est
Montréal-Nord, QC
H1H 5L8

Achevé d'imprimer
le 14 septembre 1987
en la fête de l'Exaltation
de la Sainte Croix.

Imprimé au Canada — Printed in Canada

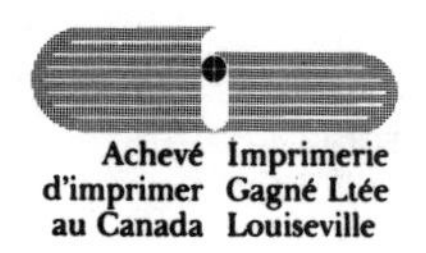
Achevé d'imprimer au Canada
Imprimerie Gagné Ltée Louiseville